ココミル
cocomiru

滋　びわ湖

近江八幡 彦根 長浜

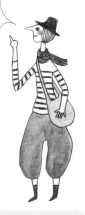

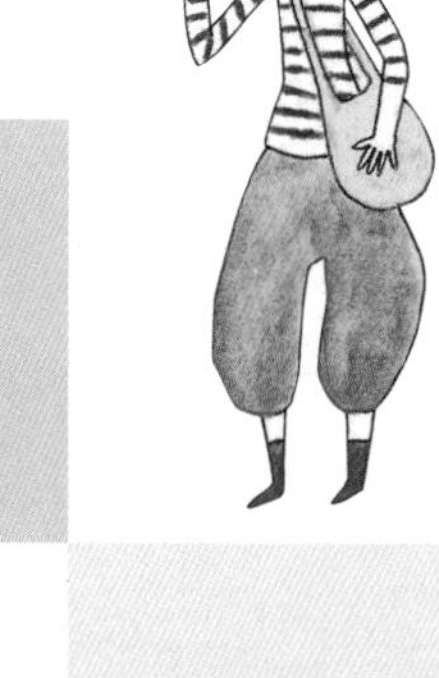
すてきな時間を
過ごしましょ♪

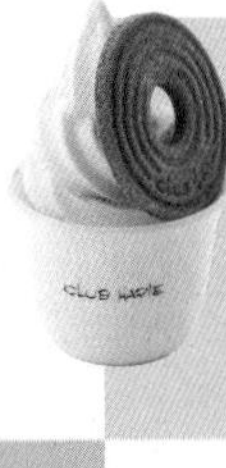
CLUB HARIE

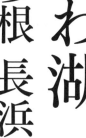

びわ湖テラスから眼下にびわ湖を望む(P18)

雄大なびわ湖と豊かな自然が奏でる、
四季折々の絶景が待ち受ける滋賀の旅。
凛とした佇まいの寺社仏閣や趣ある城下町、
ここだけの美味を目指してでかけませんか。

キラキラ輝くびわ湖がお待ちかね めくるめく絶景に会いに、滋賀の旅へ

左：ローザンベリー多和田のガーデン(P83)／右：ラ コリーナ近江八幡(P34)

びわこ箱館山の虹のカーテン(P20)

びわこ箱館山のびわ湖のみえる丘(P20)

湖西の人気スポット、
メタセコイア並木
(P25)

黒壁ガラス館に並ぶチェコの香水瓶(P66)

彦根城で見つけた滋賀のマスコット、とび太くん(P48)

爽やかなびわ湖ブルーや季節の色彩は
思わず息をのむ美しさです。

近江八幡の水郷めぐり(P44)

醒井宿の地蔵川に咲く梅花藻(P79)

夏の風物詩、びわ湖大花火大会(P124)

湖上に浮かぶような白鬚神社の鳥居(P23)

かるたの聖地、近江神宮
(P104)

桜の名所三井寺
の 開 運 さくら守
(P94)

竹生島宝厳寺の
幸せ願いダルマ
(P81)

近江神宮の技芸
上達守(P104)

多賀大社の
お多賀杓子(P58)

悠久の時を紡ぐパワースポットで
神秘の力を感じましょう

三井寺にはおうむが
モチーフのお守りも
(P94)

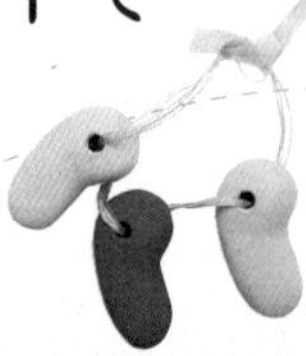

白鬚神社のまが玉
土鈴(P23)

都久夫須麻神社の
かわらけ投げ(P81)

平家物語にも綴られた竹生島(P80)

ティファニーの近江牛ステーキ(P46)

trasparenteの野菜たっぷりランチ(P104)

豊かな水と自然が育んだ 魅惑のグルメ＆スイーツ

つるやパンのサラダパン
(P82)

ラ コリーナ近江八幡の
バームソフト(P35)

アンデケンのスフレチーズ
ケーキ(P45)

菓心おおすがのひこ
にゃん人形焼き(P54)

信楽のENSOUのタルト
(P114)

琵琶湖博物館の
びわ湖カレー(P95)

左：カフェ叶 匠壽庵のもちふわどら焼き／
右：レトロモダンな店内(P70)

滋賀ってどんなところ?

遙かなる歴史を紡いできた 美景の宝庫、びわ湖がシンボル

びわ湖はおよそ400万歳！室町時代以降「近江八景」が浮世絵や詩歌に描かれ、昭和の中頃には「琵琶湖八景」も選定され、美しい景色が人々を魅了してきました。京の都に近く、交通の要衝でもあったため、織田信長や豊臣秀吉など教科書に登場した人物ゆかりの名所も多数。国宝・重要文化財の数は全国でもトップレベルを誇ります。

滋賀県は虹の出現率が高いといわれる

紅葉名所、湖東三山の一つ金剛輪寺(☞P57)

おすすめシーズンはいつ?

夏や秋が人気ですが、オールシーズン楽しめます

四方を山に囲まれた盆地の形状で、四季折々に鮮やかな色彩をまとう滋賀県。どの季節もフォトジェニックですが、とくに人気なのは水遊びやアウトドアが楽しい夏や秋。湖東三山とメタセコイア並木は、日本紅葉名所100選に名を連ねています。冬期は北部で雪が降ることも多いので、雪上の運転に慣れない人は、控えるほうが安心。

滋賀を旅する前に知っておきたいこと

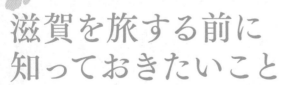

旅を満喫するために、おさえておきたいキホンをご紹介。
地図を広げてプランニングをしておけば、
旅の効率＆楽しみもアップしますよ。

どうやっていく？

東京からは新幹線が便利 リーズナブル派は高速バスも

びわ湖の東側へは、東京から新幹線ひかりで約2時間14分の米原駅へ。のぞみは停車しないのでご注意を。西側へは新幹線のぞみで約2時間15分の京都まで行き、JR琵琶湖線の新快速や普通電車で県庁所在地の大津駅まで2駅折り返します。移動費用を節約したい人には、高速バスを利用する方法もありますよ。

大津の商業施設は湖岸エリアに多い

観光にどのくらいかかる？

1泊2日でも十分楽しめ、のんびりしたいなら2泊

絶景やアクティビティを堪能したいなら湖西、歴史名所を訪ねるなら比叡山や湖東、風情ある町歩きを楽しむなら長浜や近江八幡など、目的に合うエリアを1日目に楽しみ、翌日はJR沿線が便利。2泊すれば、美食の宿でゆったり過ごしたり、時間を気にせずレイクレジャーも楽しめ、滋賀の魅力を存分に堪能できます。

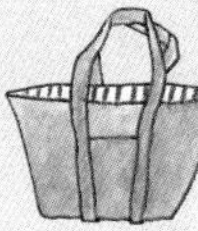

湖や水路、川、田んぼなど水を感じる場所が多い

非日常感を得られる旅先は？

焼き物の里・信楽や 神の棲む竹生島へ

古くからパワースポットとして信仰を集めてきた竹生島は非日常感たっぷり。水しぶきを上げて進む連絡船で島へと向かう時間も旅情をくすぐります。信楽は、びわ湖から離れた山里に位置するので、アクセスの時間にゆとりをもって訪れましょう。車ならアートスポット・MIHO MUSEUMへもぜひ足をのばしてみて。

神秘に包まれた竹生島で心身をデトックス(☞P80)

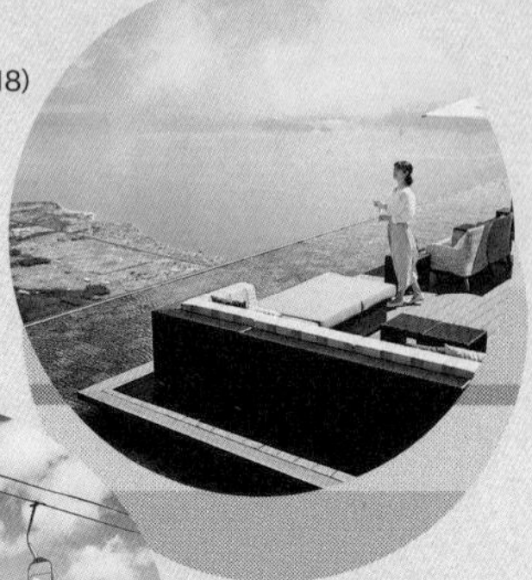

地上約1100mの
びわ湖テラス(☞P18)

初めての滋賀ではずせないのは?

滋賀の象徴・びわ湖の
スケールの大きさを体感

湖西のびわ湖テラスやびわこ箱館山は、絶景が楽しめると近年SNSでも大人気。地元の人がびわ湖を「うみ」と呼ぶのも納得、そんな大スケールが目の前に広がります。また、ノスタルジックな雰囲気が漂う長浜はレトロ好きにはたまらないエリア。数年後の世界遺産登録を目指して盛り上がる彦根城もおすすめです。

花畑に心躍る
びわこ箱館山(☞P20)

近江八幡の
水郷めぐり(☞P44)

滋賀ならではの体験をするなら?

湖畔でアクティビティや
歴史スポットめぐり

びわ湖の畔でグランピングをして、夜はバーベキューで滋賀の恵みを味わうのが人気。びわ湖クルーズや水郷めぐりもおすすめです。また、織田信長、豊臣秀吉、石田三成など戦国の世に名を轟かせた武将ゆかりの城跡めぐりは、眺望も抜群なので歴史ファンならずとも楽しめますよ。

クラシカルな船で
クルーズ(☞P28)

ぜひ味わいたいのは?

近江牛、湖魚、新鮮野菜。すべてを受け止める近江米

びわ湖や周囲の山々からの清冽な水や気候風土に恵まれた滋賀は、農作物が豊富。「近畿の米蔵」と称されるほど稲作がさかんでおいしいお米が作られています。やわらかくてきめ細かな肉質と美しい霜降りが特徴の近江牛のステーキやすき焼きとふっくらつやつやかな近江米の共演で、口いっぱいに幸せが広がります。

湖舟の志じみ釜めし(☞P96)

年輪のように「末永く」の意味をもち、祝い事にも欠かせないバームクーヘン(☞P36)

お酒のアテにぴったりな鮒寿し(☞P62)

おみやげは何がいい?

鮒寿し、赤こんにゃく、丁字麩、バームクーヘンも人気

発酵食ブームにともない、注目度が高まっている鮒寿し。近ごろはチーズ入りや焼き菓子など食べやすくアレンジされているので挑戦してみては。スイーツなら全国区で知られるクラブハリエのバームクーヘンも欠かせません。信楽焼を買って帰るなら、日常づかいできる器や、短時間でおいしいご飯を炊ける土鍋もおすすめ。

ちょっと寛ぎたくなったら?

清々しいレイクビューが評判のカフェや湖畔へ

街の喧騒から逃れ、びわ湖そばのカフェでのんびり過ごしましょう。また、レジャーシートをかばんにしのばせておけば、湖畔でピクニックなんてお楽しみも。湖を眺めながらゆったり過ごせておすすめです。びわ湖西側から望む朝日、東側から望む夕日も美しいので、日の出や日の入り時刻をチェックして出かけましょう。

びわ湖湖畔では水鳥との出会いも楽しめる

1日目

10:00 長浜

出発ー!

駅前通りを直進。黒壁スクエア（☞P66）へつづく北国街道の目印は長浜旧開知学校

黒壁スクエア（☞P66）の一帯は、趣ある建物が残り、レトロな雰囲気を楽しめる

美しいガラスにうっとり

木造の洋館をリノベーションした、国内外のガラスアートが並ぶ黒壁ガラス館（☞P66）へ

黒壁ガラス館前のガラスの噴水&ベンチなど、長浜の町なかにはガラスアートが点在

北国街道沿いの翼果楼（☞P74）で長浜名物・焼鯖そうめん。建物も味わい深い

出世城からの眺め

秀吉公ゆかりの豊公園（☞P72）をぶらり。歴史博物館の上からレイクビューも楽しもう

14:00 彦根

いざ、国宝・彦根城（☞P48）へ。400年の時を超える現存天守や4つの櫓を見学しよう

池の水面に映る彦根城に注目の玄宮楽々園（☞P50）では、抹茶と和菓子で一服

井伊家専用船を再現した船で彦根城内堀を遊覧（☞P50）。水鳥と一緒にスイスイ

キャッスルロードをぶらぶらしながら、いと重菓舗（☞P55）で井伊家ゆかりの銘菓を購入

夕食は、心待ちにしていた近江牛。近江肉せんなり亭 伽羅（☞P52）ですき焼きに舌鼓

おやすみなさい

この日のうちに近江八幡へ移動。和の雰囲気が漂う近江八幡まちや倶楽部（☞P45）へ

1泊2日でとっておきの滋賀の旅

公共交通機関を利用して3つの城下町めぐり。
びわ湖の絶景をはじめとした人気観光スポットやクルーズ、
ご当地グルメも楽しめる、ベストコースをご案内します。

2日目

おはよう！

9:00 近江八幡

朝いちばんは、氏神様の日牟禮八幡宮（☞P36）へ。朝からお参りしていい気分

八幡堀に架かる橋から、日牟禮八幡宮の鳥居越しに白雲館（☞P44）が望めます

城下町の面影を残す八幡堀（☞P37）の畔を散歩。時折船が行き交って情緒満点

ヴォーリズ建築の一つ、旧八幡郵便局（☞P38）へ。内部も見学しましょう

近江牛のハンバーグ♪

バスに乗って、築110年を超えるカフェHAKO TE AKO（☞P42）でランチタイム

レコードの深い音色に耳を傾けながらHAKO TE AKOでゆったり過ごして

緑に囲まれたラ コリーナ近江八幡（☞P34）へ。ここだけの限定スイーツを購入

ラ コリーナ近江八幡のカフェで、夢に見た焼きたてバームクーヘンとついにご対面

14:30 大津

びわ湖って広い！

大津でミシガンクルーズ（☞P28）。クラシカルな船内は絵になるポイントがたくさん

船のデッキから眺める360度の大パノラマに感動。吹きわたる風も心地いい！

クルーズ後、時間にゆとりがあるなら大津港の花噴水を眺めて旅の余韻に浸って

19:30 JR大津駅

1泊2日の旅はここでゴール。琵琶湖線で京都まで出て新幹線で帰りましょう

せっかく遠くへ来たんですもの

3日目はひと足のばしてみませんか？

レンタカーで湖西の人気絶景スポットへ

地上約1100m！びわ湖テラスからのパノラマビューは圧巻。木漏れ日の中、メタセコイア並木の散策もおすすめです（☞P25）。

ビュースポット満載 びわこ箱館山

箱館山山頂に広がるリゾートパーク。四季折々の美しい草花やびわ湖の大パノラマなど、たくさんの絶景に出合えます（☞P20）。

滋賀って こんなところ

日本一大きな湖・びわ湖を有する滋賀。水と大地が奏でる自然や、歴史、美食など魅力あふれるスポットがいっぱいです。

王道の6エリアをおさえましょう

おもなエリアは、大きく6つに分けられる。びわ湖を中心として西側が湖西。比叡山を擁する県庁所在地の大津と、住みよい街ランキング常連の草津がびわ湖の南側を囲んでいる。城下町の面影を残す近江八幡、彦根、長浜は、びわ湖の東側に位置。湖から離れ、三重や京都と隣接する山あいに信楽がある。

滋賀旅 ちょこっとアドバイス

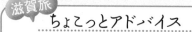

●アクセスの拠点は米原と大津
湖の東側は東海道新幹線が停車する米原を、湖の西側は、京都駅から近く京阪神からのアクセスも良い大津を拠点にしよう。

●東エリアは電車、湖西&信楽は車を
長浜、彦根、近江八幡は、JR東海道本線各駅から徒歩圏内に観光スポットが集中。一方、湖西や信楽は駅から遠いスポットも多いので車が便利。

●日帰り旅なら1日2エリアが基本
エリア間の移動に時間を要するので、午前1エリア、午後1エリアの2エリアが無理のないプラン。電車の場合は時刻表や本数を確認しておこう。

●エリアで変わる天候に注意
びわ湖の北部と南部、湖西と東でも気温や天候が異なる。北部は雪が降ることも多く、公共交通機関の乱れや道路の通行止めなども起こりうるのでプランニングは余裕をもって。

人気上昇中の「びわ湖のみえる丘」

湖西（こせい）（びわ湖あそび） 1

・・・P16

自然豊かなエリアで、湖畔や山上でのアクティビティも充実。びわ湖を一望できるびわ湖テラスや水中に鳥居が立つ白鬚神社など、絶景スポットが点在。

天台宗の総本山・比叡山延暦寺

比叡山・大津・草津（ひえいざん・おおつ・くさつ） 4

・・・P85

世界遺産の比叡山延暦寺をはじめ、桜の名所の三井寺、かるたの聖地として知られる近江神宮など、神社仏閣はおさえておこう。

信楽（しがらき） 5

・・・P107

日本六古窯の一つ、信楽の里で焼き物の魅力にふれてみよう。シルクロードの名宝に合えるMIHO MUSEUMは空間美も見どころ。

窯元やギャラリー巡りも楽しみ

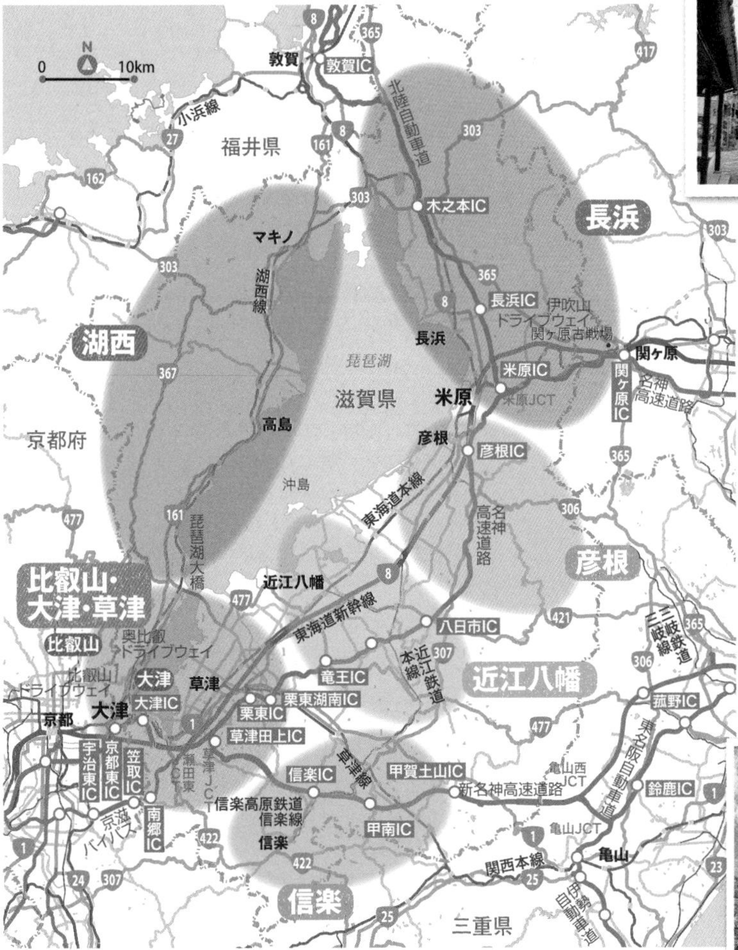

観光の中心となる
黒壁スクエア

ながはま
長浜 3

・・・P63

羽柴（豊臣）秀吉が城を築き、北国街道の宿場町として栄えた長浜には、趣ある建物を活かしたおしゃれな雑貨やカフェが多数。

国宝彦根城の華麗な天守

近江八幡 屋形船が行き交う八幡堀沿いの風情や、レトロモダンなヴォーリズ建築は必見。近江商人発祥地の一つ、五個荘へも足をのばそう。

八幡堀は映画や
時代劇のロケ地

おうみはちまん・ひこね
近江八幡・彦根 2

・・・P31

彦根 江戸時代に城下町として栄えた彦根には、国宝彦根城や井伊家ゆかりの名所が残る。紅葉で名高い湖東三山や多賀大社など寺社も多い。

ココミル cocomiru

滋賀 びわ湖
近江八幡 彦根 長浜

Contents

●表紙写真
丸十製陶 CONTENTS (P112) のカップ&ソーサー、びわこ箱館山 (P20) のびわ湖のみえる丘、ラ コリーナ近江八幡 (P34) のバームソフト、白鬚神社 (P23)、三井寺 (P94) のご利益アイテム、ラ コリーナ近江八幡 (P34)、びわこ箱館山 (P20) の虹のカーテン、メタセコイア並木 (P25)、翼果楼 (P74)の焼鯖そうめん御膳

〈マーク〉
- 観光見どころ・寺社
- プレイスポット
- レストラン・食事処
- 居酒屋・BAR
- カフェ・喫茶
- みやげ店・ショップ
- 宿泊施設

〈DATAマーク〉
- ☎ 電話番号
- 住 住所
- ¥ 料金
- 開館・営業時間
- 休 休み
- 交 交通
- P 駐車場
- 室 室数
- MAP 地図位置

これしよう！

気分爽快！山上からびわ湖を一望

びわ湖テラスやびわこ箱館山に広がる圧巻のレイクビューに感動。(☞P18)

これしよう！

アクティビティで湖上へGO！

クルーズやカヌーなど、壮大なびわ湖をひとり占めした気分に。(☞P28)

これしよう！

レイクビューも満喫カフェタイム

刻一刻と移ろう空や湖の色を眺めながら贅沢な時間を。(☞P26)

これしよう！

グランピングで自然と一体になる

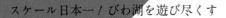

豊かな自然のなか、イマドキのグランピング。屋外でのBBQも楽しみ。(☞P30)

スケール日本一！びわ湖を遊び尽くす

びわ湖あそび

びわこあそび

こんなところ

約400万年もの歴史をもつびわ湖は日本最古＆最大の湖で、滋賀の代名詞的存在。湖西とよばれるエリアにはびわ湖を満喫できるスポットが多く、山上から見下ろす、レイクサイドから眺める、船やアクティビティで湖上を渡るなど楽しみ方は様々。

びわ湖はココにあります！

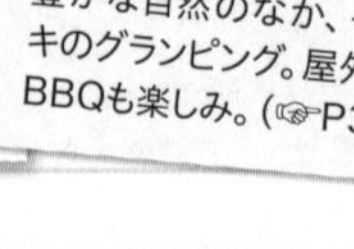

～びわ湖あそび　はやわかりMAP～

観光のヒント
移動の時短には車を活用して

びわ湖を囲むようにJR線が走っており、西側を走るのはJR湖西線。ただし本数が少ないので、効率的に巡りたい時は車での移動がおすすめ。

湖を横断する琵琶湖大橋

大津市の堅田と守山市の今浜を結ぶ全長1350mの橋は眺めも最高。

滋賀県一の高さ霊峰・伊吹山

標高1377m。眺望抜群の山頂近くまでアクセスできるドライブウェイもある。

びわ湖のいいとこエトセトラ

滋賀県最古級の神社の鳥居が湖面に美しく映える人気スポットも(☞P23)

つづら尾崎展望台周辺のドライブウェイは桜が美しい(☞P25)

周囲の山々やびわ湖が育む気候風土により食材が豊富(☞P24)

標高1100mから望む絶景に感動 まるで天空！びわ湖テラスへ

びわ湖のスケールの大きさを実感するなら、山頂から眺めるのがおすすめ。
海外のリゾートホテルのような空間でとびきりの絶景とともに非日常のひとときを。

❸グランドテラス A

水盤が眼下の湖とつながっているかのようで、視界いっぱいに広がるびわ湖ブルーに感動。展望デッキにはカフェが併設されている。カフェ以外は無料エリア。

びわこばれい/びわこてらす

びわ湖バレイ/びわ湖テラス

一度は見たい大迫力のレイクビュー！

標高約1108mの打見山と標高約1174mの蓬莱山の間に広がる高原リゾート施設「びわ湖バレイ」。3段のウッドデッキを据えたグランドテラスと湖北を見渡すノーステラス、「Café 360」という名の展望台からなる「びわ湖テラス」は、滋賀で人気No.1のビュースポット。天候が良ければ、移動にはリフトが利用できる。

☎077-592-1155 住大津市木戸1547-1
¥営休公式Webサイトで要確認 交JR湖西道路志賀ICから約4km P1700台 MAP折込裏C3

〈おすすめルート〉

スタート
❶ロープウェイ山麓駅
▶ロープウェイで5分
❷ロープウェイ山頂駅
▶徒歩すぐ
❸グランドテラス
▶徒歩すぐ
❹ノーステラス
▶徒歩30～40分
❺Café 360
▶徒歩30～40分
❻ロープウェイ山頂駅
▶ロープウェイで5分
❼ロープウェイ山麓駅
ゴール

ぐるっと回って4時間

CHECK!

ロープウェイで山頂エリアへ！

山麓駅から約5分で打見山の山頂駅へ。びわ湖テラスへの入場料は不要だが、ロープウェイ料金往復3500円が必要。地上より7～10℃ほど低くなるので服装には気をつけよう。

斜面を降りて「湖空の鐘」へ

グランドテラスから遊歩道を2分ほど歩いたところに、恋人の聖地に認定された展望台が。ハート形の白亜の壁に囲まれた場所は、人気のフォトスポット。

A びわ湖テラス「THE MAIN」の絶景スポット！

メインカフェで楽しめるボリュームたっぷりのテラスサンド1000円～▶

④ノーステラス

びわ湖の北側を一望する有料シート「インフィニティラウンジ」もある

▼グランドテラスへと続くびわ湖テラスのメインカフェ

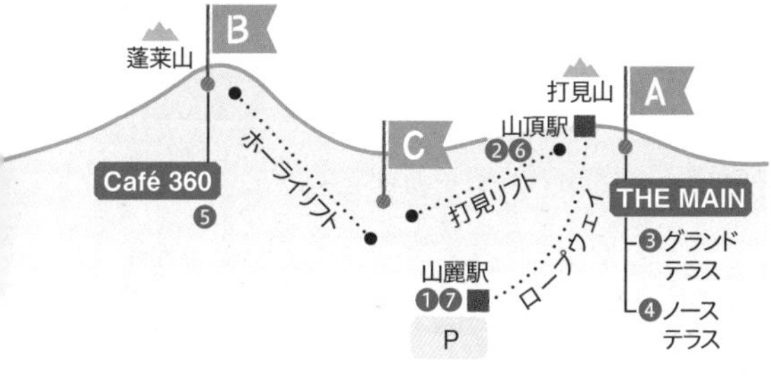

B 山頂からの景色にうっとり

蓬莱山の山頂へは徒歩でもリフトでもアクセスできる

天気が良い日はプレミアムシートが無料で利用できる

5 Café 360（かふぇさんろくまる）

蓬莱山頂は「Café 360」という名の展望台。アーチ状の展望ウッドデッキからの視界はまさに360度のパノラマビュー！ 休4月下旬～10月下旬（公式Webサイトで要確認）

C アクティビティで自然を満喫

ジップラインアドベンチャー

気分爽快のジップラインは全7コースあり、一番長いコースは全長169m！

- ●実施期間：4月下旬～11月上旬、12月下旬～3月下旬（Web予約優先）
- ●料金：1名4300円

スカイウォーカー

地上約5mの高さの樹の上で、揺れる橋や丸太橋などを進むアトラクション。

- ●実施期間：4月下旬～11月上旬（Web予約優先）
- ●料金：大人3000円、子ども（小学生以下）2500円

公式Webサイトでは山頂の天気をライブカメラの映像でチェックできますよ。

春・夏・秋に限定オープン！
びわこ箱館山で映えスポットめぐり

山から見下ろすびわ湖をはじめ、話題のビュースポットが満載のびわこ箱館山。
季節の花々をはじめ、四季折々の景色が楽しめるのも魅力！

びわこのみえるおか
びわ湖のみえる丘

4ヵ所ある展望デッキの代表的スポットがこちら。エリアが拡大し、木漏れ日のデッキも新しく登場。

にじのかーてん
虹のカーテン

虹がよく見られる地域であることにちなんだフォトスポット。地元特産「高島ちぢみ」製。

びわこはこだてやま
びわこ箱館山

進化を続ける注目のリゾートパーク

標高680mの箱館山山頂に広がるリゾートパークは、春から秋に開園。斜面を彩る季節の草花や、地元の特産品の魅力にもふれられる個性的なフォトスポットが盛りだくさん。山頂へ向かうゴンドラからの大パノラマも必見。

☎0740-22-2486 住高島市今津町日置町4201-4 ¥入園2500円(ゴンドラ往復料金込み) 営休公式Webサイトで要確認 交北陸自動車道木之本ICから約30km P1100台 MAP折込裏C1

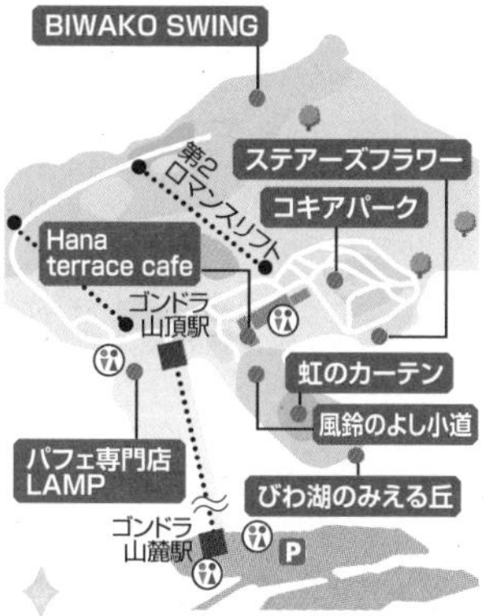

リフトに乗って空中散歩♪

ゴンドラの山頂駅から見晴台までは第2ロマンスリフトに乗ろう。周辺の景色や斜面に広がるお花畑を眺めながら、空中散歩が楽しめる。ゆったりと風を感じながら、空飛ぶ鳥の目線で季節の花々を愛でよう。

ふうりんのよしこみち
風鈴のよし小道

虹色の風鈴とびわ湖の浜辺に映える葦（よし）がコラボ。涼し気な音色に癒される。

すてあーずふらわー
ステアーズフラワー

お花畑の中に天空へと続く階段がある。眼下にはびわ湖が広がる。

こきあぱーく
コキアパーク

もこもこの形がなんとも愛らしいコキア。秋になると深紅に染まったコキアが楽しめる。

びわこ すうぃんぐ
BIWAKO SWING

3rd terrace横にある6mの巨大ブランコはインパクト大！誰でも無料で遊ぶことができる。

Cafeでひといき

ぱふぇせんもんてんらんぷ
パフェ専門店LAMP

山小屋風の雰囲気がすてきなカフェ。いちごスイーツを贅沢に詰めたいちごパフェ1800円など、ランタンに入ったオリジナルパフェが人気。 🕒10～17時

はな てらす かふぇ
Hana terrace cafe

花畑沿いにあり、季節の花を眺めながらカフェや食事が楽しめる。ボリューム満点のグリルチキンボックス1500円は数量限定。 🕒10～16時（なくなり次第終了）

園内に4ヵ所ある展望デッキの周辺は芝生なので、シートを持参すると便利！

湖上を吹き渡る風を感じて走りたい 気分爽快♪ 絶景びわ湖ドライブ

びわ湖周辺の絶景スポットを巡るなら、ドライブがおすすめ。
京都・大阪方面からのアクセスも良い、湖西のドライブルートをご案内。

START!

石橋を渡り、千体仏を安置するお堂内部を拝観することもできる

1 うきみどう(まんげつじ) 浮御堂(満月寺)

松尾芭蕉も歌に詠んだ 近江八景の一つ

平安時代、湖上安全と衆生済度の願いを込めて建てられた。古来、多くの絵画や歌の題材となった近江八景「堅田の落雁」として名高い。境内には松尾芭蕉の句碑も残る。

天台宗の僧・恵心僧都が建立。山門をくぐりお堂へ

☎077-572-0455 住大津市本堅田1-16-18 ¥拝観300円 ⏲8～17時(12月は～16時30分) 休無休 交JR堅田駅から江若バス堅田町内循環で6分、堅田出町下車、徒歩6分 P25台 MAP折込表E2

2 びわこばれい/びわこてらす びわ湖バレイ/びわ湖テラス

びわ湖のスケールを実感 山頂からの極上ビュー

ロープウェイでアクセスする山頂に、びわ湖のパノラマビューが待ち受ける超絶景スポット。春から秋はジップライン、冬はスキーなど、一年中高原アクティビティを満喫できる。

DATA☞P18

白い雲と青く輝くびわ湖を眼下に望めて感動必至

◀スリル満点のジップラインに挑戦してみては ▶ジェラート各550円～やサンドイッチなどカフェメニューが揃う

Let's Drive!!

おすすめルート

安全運転で約9時間

スタート

1. ① 浮御堂（満月寺）
   ▶県道558号で25分
2. ② びわ湖バレイ／びわ湖テラス
   ▶国道161号で20分
3. ③ 白鬚神社
   ▶国道161号などで15分
4. ④ ソラノネ食堂
   ▶国道161号などで45分
5. ⑤ びわこ箱館山
   ▶国道161号などで35分
6. ⑥ メタセコイア並木
   ▶県道287号などで35分
7. ⑦ つづら尾崎展望台

ゴール

CHECK!

名神高速道路の京都東ICが最寄り。北陸自動車道の木之本ICをゴールとすると、走行時間約4時間、走行距離約140kmのドライブに。レンタカーならJR大津駅や堅田駅、京阪びわ湖浜大津駅など主要駅の営業所でレンタルしよう。

3 しらひげじんじゃ 白鬚神社

▶神社のご神宝をモチーフにした災難除けのまが玉土鈴2000円

湖上に突如出現 !? 神秘の歴史を紡ぐ古社

湖の中に突然現れたという伝説が残り、「近江の厳島」とも称される滋賀県最古級の神社。延命長寿や縁結び、開運招福など多彩なご利益を授けるパワースポットとして有名。☎0740-36-1555 住高島市鵜川215 ¥拝観無料 ◷9～17時 休無休 交名神高速京都東ICから車で約50分 P30台 MAP折込裏D3

▼国道を挟んだ向かい側に、国の重要文化財である本殿などが立つ

晴天なら鳥居越しにびわ湖最大の沖島を望める

近江八景とは、石山の秋月、瀬田の夕照、粟津の晴嵐、矢橋の帰帆、三井の晩鐘、唐崎の夜雨、堅田の落雁、比良の暮雪のこと。

P24へ

P23から

広い農園の中にあり、大きな木を眺められるテラス席もある

かまどご飯セット1650円。ご飯に季節の野菜のおかず、卵料理、スープが付く

4 ソラノネ食堂

そらのねしょくどう

大自然で味わうかまど炊きご飯

かまどで炊く近江米が主役のかまどご飯セットが名物。季節の野菜を使ったおかずがご飯とよく合う。「かまどでご飯炊き体験」（食事付）大人2200円も人気。

☎0740-32-3750 住高島市安曇川町田中4942-1 ⏰10時30分～17時（ランチは15時LO）休木曜（お盆は営業、年末、1・2月冬季休業）交JR安曇川駅から車で10分 P40台 MAP折込裏C2

▼人気上昇中の「びわ湖のみえる丘」。絶景に笑顔も弾ける

お花畑の上をリフトで空中散歩

5 びわこ箱館山

びわこはこだてやま

フォトジェニックな絶景ポイントがいっぱい

春から秋に限定開園する箱館山山頂のリゾートパーク。標高680mからの美景や、斜面に咲き満ちる季節の草花が楽しめる。山頂へ向かうゴンドラからの大パノラマも必見。

☎0740-22-2486 住高島市今津町日置前町4201-4 ¥入園2500円（ゴンドラ往復・リフト・プレイゾーン料金込み）⏰9時30分～17時（2024年は4月27日～11月10日開園）交北陸自動車道木之本ICから約30km P1100台 MAP折込裏C1

高島ちぢみ約200枚が風に揺れる「虹のカーテン」

木漏れ日がまぶしいメタセコイアのトンネルは、横から眺めるのも素敵

6 めたせこいあなみき
メタセコイア並木

車を止めて歩きたい 季節の色彩をまとう並木道

樹高約30mのメタセコイア約500本が、2.4㎞にわたってドライブロードを縁取る。緑輝く夏や真紅に染まる秋など、季節の移ろいとともに変わる表情が訪れる人を魅了する。

☎0740-33-7101(びわ湖高島観光協会) 住高島市マキノ町寺久保 ¥営休散策自由 交JRマキノ駅からタウンバスで6分、マキノピックランド下車すぐ Pマキノ農業公園マキノピックランド駐車場利用 MAP折込裏D1

▲例年は11月下旬から12月上旬が紅葉の見頃

▲1月上旬から2月には雪化粧が見られることも

GOAL!

7 つづらおざきてんぼうだい
つづら尾崎展望台

奥びわ湖の大パノラマを展望台から眺める

葛籠尾(つづらお)半島を走る奥琵琶湖パークウェイの展望台で、奥びわ湖や伊吹山の雄大な景色が広がる。レストランやおみやげ店、ピクニックができる広場も併設している。

☎0749-89-0281(西浅井総合サービス) 住長浜市西浅井町菅浦 ¥入場無料 営8~18時(17時30分ゲート閉門) 休12~3月(変動あり) 交JR永原駅から車で30分 P100台 MAP折込裏E1

▼4月上旬になると、約3200本の桜がドライブウェイを薄紅色に染める

▶期間限定クロッフル700円~

ココによりみち

なみきかふぇ めたせこいあ
並木カフェ メタセコイア

メタセコイア並木を一望

メタセコイア並木の中心「マキノピックランド」内のアウトドアテイストなカフェ。地元の食材をたっぷり使った食事やスイーツが充実。

☎0740-27-0068 住高島市マキノ町寺久保835-1 営10時30分~16時30分(季節により異なる) 休水曜 MAP折込裏D1

びわ湖バレイやびわこ箱館山は、休業期間があるので、事前にチェックして出かけましょう。

キラキラ輝く湖や水鳥に癒やされる絶景レイクビューカフェへ

びわ湖畔にあるカフェのなかでも、眺めのいいお店をセレクト。
カフェタイムの後には、周辺をゆるりと散歩するのもおすすめです。

刻一刻と表情を変えていくレイクビューを満喫できる

近江八幡

しゃーれみずがはま

シャーレ水ヶ浜

びわ湖と向かい合うカウンターが特等席

水ヶ浜ビーチの岬に佇む。店内は、海外のコテージを思わせるログハウス風のつくりで、湖上にせり出すような特等席に憧れて来訪する人も多い。スイーツのほか、軽食も揃う。

☎0748-32-3959 住近江八幡市長命寺町水ヶ浜182-8 ⏲10～17時 休月曜（祝日の場合は翌日）交JR近江八幡駅から近江鉄道バス休暇村または長命寺行で25分、長命寺下車、徒歩20分 P20台 MAP折込裏D4

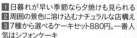

1 日暮れが早い季節なら夕焼けも見られる
2 周囲の景色に溶け込むナチュラルな店構え
3 7種から選べるケーキセット880円。一番人気はシフォンケーキ

ひと足のばして沖島へ

シャーレ水ヶ浜から車で10分の場所に堀切港がある。ここから船に乗ること10分で、淡水湖では日本唯一の有人島・沖島へ行くことができる。素朴で昔懐かしい風景が今も残る沖島は、どこを歩いてもレイクビューを楽しめるのでおすすめ。 MAP折込裏D3

彦根

くらぶはりえ じゅぶりるたん

クラブハリエ ジュブリルタン

南フランスを思わせる白亜の空間

バームクーヘンで有名なクラブハリエが手がけるベーカリー&カフェ。購入したパンを1階のフリースペースや2階のテラス席でイートインでき、2階のカフェではブランチやスイーツが楽しめる。

☎0749-21-4477 住彦根市松原町1435-83 ⏰9～17時、カフェ9～16時（15時30分LO） 休火曜（祝日は営業） 交JR彦根駅から車で10分 P90台 MAP折込裏F3

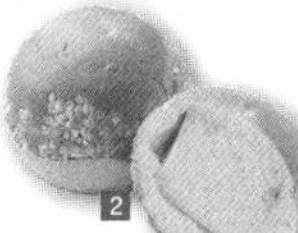

1 季節のフレンチトースト1500円～はドリンク付き（数量限定） 2 パンの中からバームクーヘンが！クーゲルバーム400円

テラス席限定のブランチメニューもスタンバイ

守山

おれんじ ばるこにー

ORANGE BALCONY

テラス限定で愛犬と一緒もOK

本格窯焼きピッツァやパスタ、ステーキなどを提供するカフェ &レストラン。ランチはもちろん、スイーツやディナーメニューも充実しており、気ままに利用できるのが魅力。

☎077-584-2601 住守山市今浜町2620-5 ピエリ守山2階 ⏰11～21時 休無休 交JR守山駅から近江鉄道バス琵琶湖マリオットホテル行きで35分、ピエリ守山下車すぐ P3000台 MAP折込表F1

1 春から秋にかけては手ぶらでOKのバーベキュープランも 2 生ハムとルッコラ1450円をはじめ、ピッツァの種類が豊富 3 びわ湖を一望できるテラス席でくつろぎのひと時を

大津

ぼん かふぇ

bon cafe

一幅の絵のような湖をどの席からも望める

自家製の鶏ハムや近江牛など、素材選びからこだわって作るパニーニの専門店。10種類以上が揃うパニーニは具材たっぷり。パンは生食パンと白パンから選べるのもうれしい。

☎077-548-7611 住大津市萱野浦24-50 ティアラ大津1階 ⏰11～19時（18時LO） 休水・木曜 交JR瀬田駅から徒歩30分 P20台 MAP折込表E5

クレームブリュレ単品900円
ドリンクセット1200円

1 白が基調の明るい店内。テーブルやカウンターはスタッフのハンドメイド 2「窓にびわ湖を飾る」ことをイメージして設えた大きな窓が印象的

クラブハリエ ジュブリルタン近くの松原水泳場は、鳥人間コンテストの会場として知られています。

クルーズ船から水上スポーツまで 心弾む！ びわ湖アクティビティ

滋賀県の面積の6分の1を占めるびわ湖は、レイクレジャーも充実。
波がおだやかなので、初心者でも安心して遊べます。

1 2022年に就航40周年を迎えたミシガン 2 3 船内デッキは自由に散策できる。最上階からの360度のパノラマビューも気分爽快

就航年を示す乗船口のプレート

15時発の便では、予約制で季節替わりのアフタヌーンティーが楽しめる

大津

みしがんくるーず

ミシガンクルーズ

クラシカルな外輪船でびわ湖を周遊

19世紀のアメリカの蒸気船をイメージした4階建ての外輪船で、大津港を出発し、びわ湖南部を周遊。クラシカルな雰囲気の船内でのランチやアフタヌーンティーも人気。60分、90分、ナイトクルーズの3コースがある。

☎077-524-5000（琵琶湖汽船予約センター /9～17時）住大津市浜大津5-1-1 ◷9～17時 休コースにより異なる（公式Webサイトを要確認）交京阪びわ湖浜大津駅から徒歩3分の大津港から発着 Pなし（近隣有料駐車場あり）MAP折込表D4

シャンデリアが輝く船内。陽気な音楽ライブや船上からの見どころ案内も

体験DATA

60分コースの場合

● **大津港発**
9時40分（12月2～31日、1月6日～3月7日は運休）／15時（上記9時40分便運休期間は、土・日曜、祝日のみ運航）

● **料金**
1名2400円（予約優先）

● **所要時間**
約1時間

春や秋には
"ビワイチ"を

びわ湖一周サイクリングを通称「ビワイチ」と呼び、滋賀県がサポートしている。自転車で立ち寄った場所で特典が受けられる協賛ショップがあるので、公式Webサイトで確認を。一周完走するには2～3日要するので、気軽に楽しみたいときは、レンタサイクルで半日湖畔を走ってみよう！

2人乗り用のカヌーもある。ペット同伴の乗船もOK

高島

ぐっどたいむす

GOODTIMES

湖上に浮かぶ大鳥居へ カヌーでお参り

少人数でのカヌー体験やアウトドアツアーを催行。人気が高いのは、白鬚神社（→P23）の鳥居のそばまで行くことのできるツアー。神々しい鳥居を間近で仰ぎ見れば感動もひとしお。

☎050-3613-0622 住高島市鵜川1091 ⏰8～17時 休不定休 交JR近江高島駅から徒歩20分 P50台（有料） MAP折込裏D3

体験DATA（カヌー）

●**実施期間**　通年（要予約）①9～11時②12～14時③14時30分～16時30分
●**料金**　5500円（別途入場料500円）
●**所要時間**　約2時間

コツをつかめば大丈夫。波も穏やかで心地よい

近江八幡

かんとりーはーばー

かんとりーはーばー

マリンスポーツで 風とともに走る

関西の老舗サーフィンショップの一つ。世界でも活躍するインストラクターが、ウインドサーフィンやSUP（スタンドアップパドルボード）をレクチャーしてくれる。

☎0748-36-6565 住近江八幡市佐波江町472-1 ⏰10時30分～15時30分 休火曜（祝日の場合は翌日） 交JR近江八幡駅から車で15分 P20台 MAP折込裏D4

体験DATA（ウィンドサーフィン）

●**実施期間**　4月下旬～10月下旬（前日までに要予約）
●**料金**　1名7700円
●**所要時間**　約4時間
※雨天催行。強風、雷、大雨などで変更・中止の可能性あり

大津

かーめるびーちくらぶ

カーメルビーチクラブ

多彩なマリンスポーツを楽しむ

ウェイクボードやバナナボートといった定番から最新まで20種以上の水上アクティビティが揃う。経験豊富なドライバーがレクチャーしてくれるので初心者でも安心。人気はSUPの水上散歩。

☎077-596-1357 住大津市北比良243 ⏰9～18時 休不定休（7～9月は無休） 交JR比良駅から徒歩3分 P50台（1日1000円）※利用は要問い合わせ MAP折込裏C3

体験DATA（SUP）

●**実施期間**
4月上旬～10月下旬（要予約）
●**料金**
1名2000円（施設利用料別途、7～9月は3300円）
●**所要時間**
約30分
※雨天決行、強風時は中止の場合あり

1人乗りのほか、7～8人乗りのMEGA SUPも

満天の星空や湖に昇る朝日に感動！
湖畔グランピングで自然を満喫

アウトドアブームの中、びわ湖周辺にもおしゃれなグランピング施設が。
街の喧騒から逃れて贅沢な時間を過ごせる、3つの施設をご紹介します。

高島

すてーじくすたかしま

STAGEX高島

プライベート空間で優雅に過ごす

道の駅「しんあさひ風車村」の畔に立つ。キャビンとテントの2タイプがあり、すべてにデッキバルコニーを備える。落ち着いたトーンでまとめられたインテリアも魅力。

☎0740-25-8212 住高島市新旭町藁園336 ¥1室2万5000円～ 🕒IN15時／OUT10時 休水曜（季節により変動あり）交JR新旭駅から車で5分 P196台 MAP折込裏D2

1 広々としたロータスベルもウッドデッキ付き 2 地元高島産が中心の食材を使った、宿泊ディナーコース 3 プライベート空間が重視されたつくり

1 キャビンの前からカヌーに乗ることができる 2 朝食のベリーベリーモーニングセット 3 キャビンの中からサンクチュアリを望む。静けさが最高の贅沢

大津

えばーぐれいずびわこ

エバーグレイズ琵琶湖

豊かな自然のなかでカヌー体験も

琵琶湖国定公園内の自然豊かなロケーション。専用カヌー付き、広々とした庭付きなど、13タイプのキャビンが揃う。自然豊かな内湖でのカナディアンカヌー体験も人気。

☎0599-55-3867（予約センター）住大津市南小松1249-1 ¥1泊朝食付き2万1600円～（1棟2～6名）🕒IN14時／OUT11時 休無休 交JR近江舞子駅から徒歩5分 Pあり（無料）MAP折込裏C3

高島

ぐらんどーむしがたかしま

グランドーム滋賀高島

プライベートガーデンで焚き火を楽しむ

目の前がびわ湖という絶好の立地。ドーム型のテントには、プライベートガーデン、専用キャンプファイヤーなどを完備。食材の持ち込みが自由なので気ままなBBQも可能。

☎0740-20-5760（Biwa Galaxy）住高島市安曇川町下小川2248-8 ¥1万5180円～（6名1室利用時）🕒IN15時/OUT10時 休無休 交JR近江高島駅から車で7分（無料送迎あり）P2台（要問合せ）MAP折込裏D3

1 テントは3タイプ。最大8名まで利用できる部屋もある 2 1泊2食付のBBQプランでは、高島名物とんちゃん焼きなども味わえる 3 プライベートガーデンで焚き火が楽しめる

城下町の面影を残す
近江八幡&彦根をそぞろ歩き

趣ある商家が今も残る近江商人発祥の地、近江八幡。
井伊家の居城・麗しき国宝彦根城を擁する彦根。
古き良きものを大切に慈しんできた、
ふたつの城下町をゆるりと巡りましょう。

これしよう！

情緒漂う八幡堀をゆるりと散策

時代劇のロケ地としても知られる八幡山城のお堀でプチ船旅を。(☞P37)

これしよう！

華麗なる国宝彦根城を仰ぎ見る

国宝天守のほか重要文化財の櫓が4つも。ひこにゃんにも会いたい♪(☞P48)

これしよう！

フォトジェニックな洋館を巡る

近江八幡には絵になる町並みやレトロモダンな建築が多数。(☞P38)

ラ コリーナ近江八幡のリーフパイ(☞P34)

近江八幡・彦根はココにあります！

レトロな城下町と美しき国宝天守

近江八幡・彦根

おうみはちまん・ひこね

こんなところ

豊臣秀吉の甥・秀次が築いた八幡山城のふもとに広がる近江八幡は、江戸～明治時代に天秤棒をかついで全国を渡り歩いた近江商人発祥地の一つ。風情ある水路や町並みの美しさが魅力。井伊家ゆかりの名所が残る、国宝・彦根城とあわせて訪れたい。

access

【電車】

●大津駅から近江八幡駅へ
・JR琵琶湖線新快速で24分の近江八幡駅下車
●大津駅から彦根駅へ
・JR琵琶湖線新快速で38分の彦根駅下車

【車】

●名神高速八日市ICから
・国道421号を約16㎞で近江八幡市街

広域MAP 折込裏D4～F3

～近江八幡・彦根 はやわかりMAP～

観光のヒント
タイムスケジュールが旅のキーポイント

JR近江八幡駅から彦根駅までは新快速で14分。国宝・彦根城の入場受付は16時45分までなので、16時に彦根駅に到着しておくと安心して彦根城散策を楽しめる。

商人屋敷が残る新町通り

江戸～明治時代の面影を残す通りでタイムトリップ気分♪
(☞P37)

彦根城のお堀は散歩に最適

内堀と中堀のふたつのお堀沿いは桜、新緑、紅葉が美しい。

おすすめコースは
7時間

ロングコースなので朝早めのスタートがおすすめ。八幡堀やヴォーリズ建築を巡ったら、ラ コリーナ近江八幡でご当地名物に心を弾ませて。このエリアを訪れるなら国宝・彦根城は必見。

スタート **JR近江八幡駅**
▶ バス7分
1 見学 **八幡堀**
▶ 徒歩5分
2 見学 **ヴォーリズ建築**
▶ 徒歩17分
3 買い物&カフェ **ラ コリーナ近江八幡**
▶ バス＋JR＋徒歩計40分
4 見学 **彦根城**
▶ 徒歩すぐ
5 見学 **玄宮園(玄宮楽々園)**
▶ 徒歩15分
ゴール **JR彦根駅**

緑に包まれたラ コリーナ近江八幡でできたてスイーツ&ショッピング

近江八幡を訪れるなら絶対はずせない人気スポット。
豊かな自然と独創的な空間がテーマパークのようで心が躍ります。

メインショップの前にはオカメザサが生い茂る

▲建物を上から見ると
なんとバームクーヘン!

◀3つの土塔は人気のフォトスポット

らこりーなおうみはちまん
ラ コリーナ近江八幡

八幡山のふもとに広がるたねや・クラブハリエの旗艦店。和菓子の「たねや」やバームクーヘンで有名な「クラブハリエ」のショップが集結。できたてのバームクーヘンやカステラが楽しめるカフェ、フォトスポットなどもあり、半日たっぷり楽しめる。

☎0748-33-6666 住近江八幡市北之庄町615-1 ⏰9〜18時(フードコートは10〜17時) 休無休(1月1日を除く) 交名神高速道路竜王ICから車で30分 P650台 MAP P60B1

A メインショップ

ラ コリーナ近江八幡のシンボル棟。建物1階にはたねやとクラブハリエがあり、2階には人気の生どらなどが楽しめるどらやきのカフェがある。

あのとび太くんがここにも!

飛び出し注意を喚起する「とびだし坊や」は滋賀県発祥で、「とび太くん」の愛称でおなじみ。ラ コリーナ近江八幡で、ここならではのとび太くんを探してみて。訪れた記念にかわいいとび太くんと記念撮影しよう!

まずはやっぱり
ココへGO

◀たねやの店舗で最大級の品ぞろえ

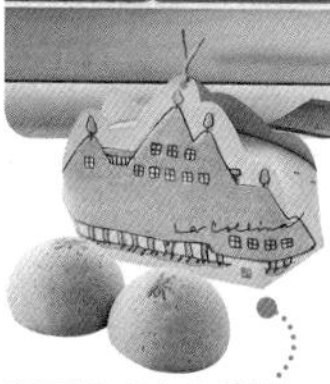

草屋根 たねや饅頭 桑の葉 6個入 1026円〜

北海道産のこし餡を包んだ饅頭で、季節により内容・パッケージが変わる

行列必至のカフェは早めの時間がおすすめ▶

右:生どら 300円
左:生どら栗 550円

注文後に職人が仕上げるどら焼き。栗は秋限定

B カステラショップ

メインショップを出て右手にあり、カステラ工房で焼き上げたできたてが味わえるカフェを併設。

▼店内の工房でひとつひとつ焼き上げたカステラが並ぶ

焼きたての
ふわふわカステラ

焼きたて たねや カステラセット 1039円

まずはそのまま、次は別添えの餡と一緒に召し上がれ

▲建物には100本以上の栗の木を使用

C バームファクトリー

生地作りから焼成、包装までの工程が見られる見学通路のほか、2階にはカフェがある。

バームクーヘンの
専門ショップ!

▲クラブハリエ最大規模のバームクーヘン専門ショップ

焼きたてバームクーヘン miniセット 1170円

焼きたてはたまごの風味やふわふわ感が一層際立つ

バームソフト(ジャージー牛乳) 600円

蒜山ジャージー乳を使用した濃厚な味わい

D フードガレージ

ガレージをイメージしたギフトショップのほか、フードコート、パンショップが集結!

▲キッチンカー pink's で買えるオールスターバームパフェ1680円〜(内容は季節により異なる)

ラ コリーナ
限定グッズも!

▲かわいいロンドンバスの中ではマカロンを販売

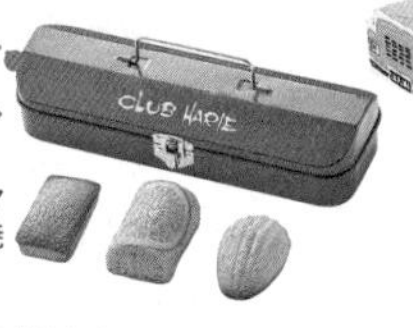

プティアソート 1328円

フィナンシェやマドレーヌなど焼菓子の詰合せ

リーフパイ5枚入 スクールバス 1404円

風味豊かなリーフパイは創業時からの定番の逸品

屋根のある場所にベンチが置かれているので、緑を眺めながらゆったり過ごせます。

豊臣秀次が開いた八幡山城の城下町 八幡堀でのんびり散策

歩いて回って 約3時間

八幡山城の城下町や近江商人の拠点として発展した町。
当時の面影を残す水路・八幡堀の周辺と風情ある町並みを歩きましょう。

スタート！

猿の彫刻が施された楼門くぐると災難が去ると伝わる

1 日牟禮八幡宮（ひむれはちまんぐう）

八幡山のふもとに鎮座 近江商人の氏神様

1800年以上の歴史を紡ぐ古社で、中世以降は近江商人の守護神として信仰を集めてきた。信長ゆかりの左義長祭と千年以上の歴史を誇る八幡祭は、ともに国の選択無形民俗文化財。

☎0748-32-3151 住近江八幡市宮内町257 ¥営休境内自由 交JR近江八幡駅から近江鉄道バス長命寺行きで6分、八幡堀八幡山ロープウェー口から徒歩3分 P80台 MAP P60A3

境内のあちらこちらに神の使いとされる鳩のモチーフが見られる

徒歩すぐ

2 近江八幡日牟禮ヴィレッジ（おうみはちまんひむれゔぃれっじ）

和菓子と洋菓子 どちらも楽しめる人気スポット

日牟禮八幡宮の参道両脇に、和菓子の「たねや 日牟禮乃舎」と洋菓子の「クラブハリエ 日牟禮館」が立ち並ぶ。店舗限定商品を手に入れるもよし、趣の異なるカフェタイムを満喫するもよし。

☎0748-33-3333（クラブハリエ 日牟禮館）、☎0748-33-4444（たねや 日牟禮乃舎）営10時～16時30分LO（和・洋菓子販売は9時30分～17時）休無休 交バス停大杉町八幡山ロープウェー口からすぐ Pあり MAP P60B3

1

2

3

徒歩すぐ

つぶら餅が名物のたねや 日牟禮乃舎では食事も提供している

4

1 赤レンガが印象的なクラブハリエ 日牟禮館。カフェを併設 2 カフェで味わえるスコーン（ドリンクセット）1530円～ 3 人気のバームクーヘンは1296円～ 4 つぶら餅1個80円

はちまんぼり
3 八幡堀

ゆったりと船が行き交う 情緒あふれる水路

豊臣秀次が築いた八幡山城の堀で、びわ湖との間を人や物資が往来した。石積みや土蔵が並ぶ堀の畔を散策するほか、水郷地帯に足を延ばして、船上から景色が楽しめる水郷めぐりもおすすめ。

八幡堀をめぐる船でプチクルーズを

全長4.7㎞に及ぶ八幡堀の一部をエンジン船で周遊。船から眺める景色は歩くのとは異なり新鮮な気分に。白雲橋の東側で乗船し、赤レンガ工場跡で折り返す約35分のコース。
☎080-1510-5334（八幡堀めぐり）MAP P60B3

☎0748-33-6061（近江八幡駅北口観光案内所）住近江八幡市宮内町他 ¥🕒休散策自由 交バス停八幡堀八幡山ロープウェー口からすぐ Pなし（周辺駐車場を利用）MAP P60A3

昔ながらの趣を残すことから時代劇のロケ地としても重宝される

1 八幡堀に架かる白雲橋の上からもフォトジェニックな景色が見られる 2 石畳の道をそぞろ歩いてみよう。桜や深緑、紅葉シーズンもおすすめ

徒歩4分

かわらみゅーじあむ
4 かわらミュージアム

アートな八幡瓦と 国内外の多彩な瓦が集結

近江八幡の地場産業であった八幡瓦を中心に、瓦の歴史や種類、作り方などを紹介。瓦粘土で自由に創作する体験工房（1000円～。要予約）もあり。

1 瓦粘土で作った、珍しいアイテムも販売 2 展示を通して八幡瓦の奥深い魅力に触れることができる

☎0748-33-8567 住近江八幡市多賀町738-2 ¥入館300円 🕒9～17時（体験教室の受付は～15時。最終入館16時30分）休月曜（祝日の場合は開館）、祝日の翌日※4・5月、10・11月は無休 交バス停八幡堀八幡山ロープウェー口から徒歩3分 Pなし（周辺駐車場を利用）MAP P60B3

徒歩10分

ゴール！

しんまちどおりのまちなみ
5 新町通りの町並み

商人屋敷が立ち並び タイムスリップしたよう

八幡堀や日牟禮八幡宮の南側は国の重要伝統的建造物群保存地区に選定されており、風情満点。旧西川家住宅（→P44）など近江商人の屋敷跡が多く残る新町通りは必見。

☎0748-33-6061（近江八幡駅北口観光案内所）住近江八幡市新町 ¥🕒休散策自由 交バス停小幡町資料館前からすぐ P市営八幡観光駐車場 MAP P60A4

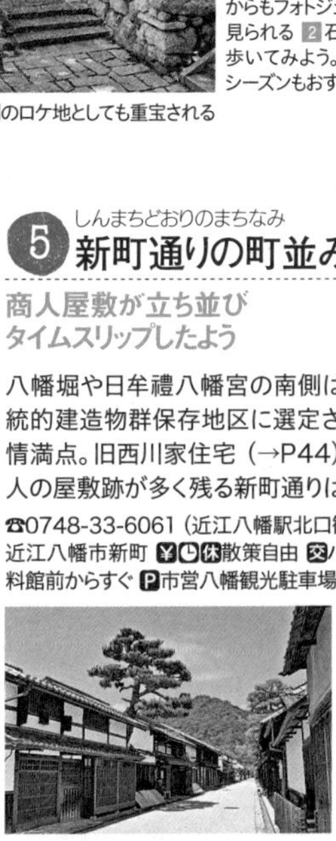

江戸時代末期から明治にかけて建てられた商家が軒を連ねる

レトロモダンなデザインが目を引く 建築家・ヴォーリズが手がけた洋館巡り

近江八幡の町なかには建築家・ヴォーリズが手がけた20軒余りの洋館が残存。デザイン性と実用性を兼ね備えた素敵な建物を見に行きましょう。

1 看板の文字が右からなのに注目。照明や郵便局の紋章もグッドデザイン 2 アーチ形はヴォーリズ建築の特徴の一つ 3 郵便局時代に使われていた窓口(受付)が残る

きゅうはちまんゆうびんきょく

旧八幡郵便局

映画に登場しそうな近江八幡のシンボル

1921年(大正10)に建てられた、ヴォーリズ初期の代表作。昭和35年頃まで郵便局として使われていた。玄関と窓のアーチや凹凸のある壁が特徴。館内は自由に見学できる。

☎0748-33-6521 住近江八幡市仲屋町中8 ¥入館無料 🕒11～17時 休月～金曜 交バス停八幡堀八幡山ロープウェイ口から徒歩3分 Pなし MAP P60B4

知っておきたい ヴォーリズってどんな人?

ウィリアム・メレル・ヴォーリズ(1880～1964)は、英語教師としてアメリカから近江八幡へ赴任し、キリスト教の伝道活動をしながら建築設計事務所を設立。国内外1600棟以上の建物を手がけた。近江八幡の発展への貢献度の高さから、近江八幡第1号名誉市民に選ばれた。

ひとつやなぎきねんかん(ヴォーリズきねんかん)

一柳記念館(ヴォーリズ記念館)

ヴォーリズ夫妻が暮らした和洋折衷の住まい

昭和6年(1931)、清友園幼稚園の教員寄宿舎として建てられ、後にヴォーリズが満喜子夫人と暮らした住居。事前予約をすれば、玄関と応接間が見学できる。

☎0748-32-2456 住近江八幡市慈恩寺町元11 ¥入館500円 🕒電話にて要予約 休月曜、祝日、その他不定休(12月15日～1月15日は休館) 交JR近江八幡駅から近江鉄道バス長命寺行きで6分、鍛冶屋町下車、徒歩3分 P3台 MAP P60C3

赤い瓦屋根、白い煙突、下見板張りの外壁がおしゃれ

ヴォーリズが創立「近江兄弟社」の資料館を見学

布教活動の資金作りのために創立した「近江兄弟社」の資料館では、保湿ケアで有名な「メンターム」の旧パッケージなどを展示。館の前の広場にはヴォーリズ像が立つ。☎なし 🕒9～17時 休土・日曜、祝日 MAP P60A4

はいどきねんかん

ハイド記念館

細部の設計に込められた園児たちへの想い

ヴォーリズ夫妻が創立した清友園幼稚園の建物で、現在はヴォーリズ学園の一部。園児に配慮し、窓や手洗い場の鏡も低い位置に設けられている。

☎0748-32-3444（ヴォーリズ学園）住近江八幡市市井町177 ¥500円 🕒10～16時（最終入館15時30分）休月曜（不定休あり）交JR近江八幡駅から近江鉄道バス長命寺行きで10分、ヴォーリズ学園前下車すぐ Pなし MAP P60B1

内部にはヴォーリズゆかりの品やパネルなどが展示されている

木の温もりが感じられる教育会館

あんどりゅーすきねんかん

アンドリュース記念館

特別公開が楽しみ日本初のヴォーリズ建築

ヴォーリズの親友であるハーバート・アンドリュースを記念し、日本初設計として造られた。書斎と暖炉のある「祈りの部屋」などが残る。

☎なし 住近江八幡市為心町中31 ¥🕒休特別公開時のみ 交バス停八幡堀八幡山ロープウェイ口から徒歩5分 Pなし MAP P60B4

1 1907年（明治40）に建築。通常は内部見学不可 2 和洋がミックスされた小窓にも注目

いけだまちようふうじゅうたくがい

池田町洋風住宅街

赤レンガが目を引く3棟のモデルハウス

旧ウォーターハウス邸、旧吉田邸、ダブルハウスからなる住宅街で、モデルハウスとして初期に建築。内部は個人宅のため、原則非公開。

☎なし 住近江八幡市池田町5 ¥🕒休外観のみ見学自由 交バス停小幡上筋から徒歩5分 Pなし MAP P60B2

西洋の町並みのよう。住民に配慮して見学はマナーを守ろう

紹介している全6軒の洋館すべてを訪ねるなら、歩く時間はトータルで30分見ておきましょう。

ステーキ、すき焼き、カジュアルランチ 滋賀が誇る、近江牛を堪能

滋賀グルメの最高峰といえば、ブランド食材「近江牛」。
とろけるようにやわらかな肉の旨みを心ゆくまで味わいましょう。

奥のカウンターではシェフが目の前で調理

てぃふぁにー
ティファニー

熟練の技がキラリと光る 極上ステーキに感動

老舗精肉店「カネ吉山本」直営のレストラン。肉の脂質や部位、霜降り具合を見極め、その肉に合った調理法でおいしさを最大限に引き出す。近江牛ショートコースが人気。

☎0748-33-3055 住近江八幡市鷹飼町558 カネ吉山本2階 ⏰11時30分～15時LO、17～20時LO 休火曜(祝日の場合は営業) 交JR近江八幡駅から徒歩3分 P40台 MAP P60B2

シェフの熟練の手さばきも楽しめるカウンター席

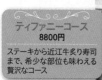

ティファニーコース
8800円
ステーキから近江牛炙り寿司まで、希少な部位も味わえる贅沢なコース

近江牛ショートコース6900円。近江牛のステーキとハンバーグを同時に味わえる

おうみぎゅうどころ ますざき
近江牛処 ますざき

コスパの良さも魅力 和の空間で御膳を堪能

契約牧場から近江牛を一頭買いすることで、リーズナブルな価格を実現。ランチは御膳やすき焼き、ビーフカツなど、ディナーには焼肉やホルモンを味わえる。

☎0748-36-3663 住近江八幡市出町417-21 ⏰11～14時(13時45分LO)、17～22時(21時30分LO) 休水曜の夜、その他不定休 交JR近江八幡駅から徒歩10分 P16台 MAP P60B2

庭園を眺めながらゆったりと食事ができる

近江牛御膳(上)
3575円
肉質がやわらかでサシが少ない肉を使用。近江牛の茶碗蒸しも美味

おうみうし もりしま
近江牛 毛利志満

世代を超えて愛され続ける名店

創業145年と長年愛され続けている店。愛情と丹精を込めてそだてた自社牧場の近江牛を名物のすき焼きやステーキ、フランス料理など、シェフの技術が昇華された魅力的な料理で味わえる。

☎0748-37-4325 住近江八幡市東川町866-1 🕒11時～20時30分（最終入店は～19時30分）休水曜 交JR近江八幡駅から車で10分 P60台 MAP折込裏D4

ライブ感のあるカウンター席のほか、テーブル席や個室も

琵琶湖八景
1万6500円
（サービス料10%別途）

近江牛の味わいを堪能できる近江牛会席。前日までの要予約

近江牛って？

滋賀県内で最も長く飼育された黒毛和種のこと。全国の銘柄牛のなかで最も古い歴史を有し、日本三大和牛の一つに名を連ねる。きめ細かくやわらかな肉質と美しい霜降りが特徴。

ちゅうごくりょうり さら
中国料理 沙羅

ボリューム満点のヘルシーな中国料理

無添加にこだわった中国料理店。好きなメニューを見つけてほしいというシェフの願いから、ランチは唐揚げや麻婆豆腐など20種類以上の中から選べるセットを提供。

☎0748-32-2299 住近江八幡市西庄町2036-1 🕒11時30分～15時（14時LO）、17時30分～22時（21時LO）休木曜 交JR近江八幡駅から車で10分 P30台 MAP P60C2

近江牛のカキ油炒め
1900円

写真は夜の一品料理。ランチセットでも提供している。卵、チンゲン菜、しめじと近江牛をカキ油で味付けしたご飯に合う一品

アジアンテイストのインテリアでまとめられた店内

ティファニー（→P40）の1階は、レストランを運営する精肉店・カネ吉山本の本店。ローストビーフや味噌漬けなどはおみやげにぴったり。

ゆるやかに過ぎゆく時間も心地いい 近江八幡のレトロなカフェへ

空間が素敵で、雰囲気が良くて、おいしくて。
近江八幡さんぽの合間に立ち寄りたい、素敵カフェを紹介します。

▲潤んだような表情の明治後期のガラス窓が残る

▲LPレコードは今も現役。深い音色にうっとり

玄関で招き猫たちがお出迎え

◀ポーチドエッグがとろりとあふれ出す、近江牛合挽ミンチの煮込みハンバーグ1600円

スイーツ4種盛りはランチに+330円と超お得

玄関に唐破風の屋根を冠した風格漂う佇まい

はこ て あこ

HAKO TE AKO

鳥のさえずりが聞こえる 山ふもとの一軒家カフェ

110余年の時を超え大切に受け継がれてきた旧蒲生郡勧業館の建物が、カフェを備えたユースホステルに。近江牛を使ったハンバーグやメンチカツ、カレーなど国の登録有形文化財の空間で味わう心尽くしの料理が人気。

☎080-8529-1360 住近江八幡市円山町610(近江八幡ユースホステル内) ◷11時30分～15時LO(土・日曜祝日は11～15時LO、ランチは～14時LO) 休火・水曜 交バス停ユースホステル前からすぐ Pあり MAP折込裏D4

近江商人のふるさと 近江八幡の町名

「売り手よし、買い手よし、世間よし」の「三方よし」の精神で知られる近江商人。五個荘（☞P46）、日野と並ぶ近江商人発祥地の近江八幡には、今も「畳屋町」「魚屋町」など商いにちなむ町名が残る。

P36で紹介！

おうみはちまんひむれゔぃれっじ

近江八幡日牟禮ヴィレッジ

日牟禮八幡宮の境内で 和菓子も洋菓子もお気に召すまま

洋館の日牟禮カフェには、ヴォーリズが手がけた邸宅を活用した趣の異なる4つの特別室があり、予約制で利用できる。日牟禮茶屋では、名物つぶら餅などの甘味のほか、食事も楽しめる。

☎0748-33-3333（クラブハリエ 日牟禮館）、☎0748-33-4444（たねや 日牟禮乃舎）Ⓛ10時～16時30分LO（和・洋菓子販売は9時30分～17時）Ⓟあり MAP P60B3

1 2 特別室は前日までに要予約（特別室予約専用番号0748-33-9995）。利用料1名500円 3 カフェで味わえるスコーン（ドリンクセット）1530円～ 4 たねや膳3000円には地元の特産品の小鉢が付く 5 日牟禮茶屋

こるみお かふぇ

Kolmio cafe

焼きたてクレープが人気の 古民家リノベカフェ

アットホームな雰囲気が魅力の町家カフェ。焦がしバターが香るもちもちのクレープが看板メニューで、デザートから食事系まで揃う。

☎0748-43-2290 住近江八幡市仲屋町上9-2 Ⓛ11～17時（土・日曜、祝日はモーニング営業あり8時～9時45分LO）休水曜 交バス停八幡堀八幡山ロープウェー口から徒歩7分 Ⓟ7台 MAP P60C4

1 クレープ650円～は王道から季節のフルーツなど多彩 2 食べ歩きできるテイクアウトメニューや滋賀土産も充実 3 古商家をリノベーションしており、佇まいもすてき

ココにも行きたい

近江八幡周辺のおすすめスポット

近江八幡水郷めぐり（近江八幡和船観光協同組合）
おうみはちまんすいごうめぐり

四季折々の風景を屋形船で巡る

近江八幡の水郷に張り巡らされた水路を、船頭が手漕ぎする屋形船で約80分回遊。景色を楽しみながら、弁当やすき焼きを味わえるプラン（要予約）も。DATA ☎0748-32-2564 住近江八幡市北之庄町880 ¥乗合船2400円 ◷10時、15時（1日2回）休運航は4月1日～11月30日、期間中無休 交バス停豊年橋乗り場口からすぐ P10台 MAP P60B1

村雲御所 瑞龍寺門跡
むらくもごしょ ずいりゅうじもんぜき

城下町を眼下に望む秀次の菩提寺

八幡山の山頂に立つ門跡寺院で、豊臣秀吉の命により自害に追い込まれた甥・秀次を祀る。秀次の生母の日秀尼が秀次の菩提を弔うため京都に建てた寺院が起源。回廊を彩る蓮の絵や眺望も楽しみたい。DATA ☎0748-32-3323 住近江八幡市宮内町19-9 ¥500円（イベント時変更あり）◷9～16時 休無休 交八幡山ロープウェー山頂駅からすぐ 交ロープウェー駐車場利用 MAP P60B1

八幡山ロープウェー
はちまんやまろーぷうぇー

地上から4分で眺望抜群の山頂へ

標高271.9mの八幡山山頂へアクセスできる。山頂の展望所からは、旧城下町の町並みや西の湖、琵琶湖の景色が満喫できる。豊臣秀次が築いた八幡山城の跡や村雲御所瑞龍寺門跡を巡ろう。DATA ☎0748-32-0303 住近江八幡市宮内町 ¥片道540円、往復950円 ◷9～17時（上り最終は～16時30分）休無休 交バス停八幡堀八幡山ロープウェー口から徒歩5分 Pあり MAP P60A3

白雲館
はくうんかん

観光案内所は明治時代のレトロ建築

明治10年（1877）に八幡東学校として建てられた校舎をリノベーションした観光案内所。近江商人や地域の住民が資金を出し合い地元の大工らが建てたもので、国の登録有形文化財。内部は自由に見学可能できるほか、ショップも併設。DATA ☎0748-32-7003 住近江八幡市為心町元9-1 ¥無料 ◷9～17時 休無休 交バス停八幡堀八幡山ロープウェー口からすぐ Pなし MAP P60B3

市立資料館
しりつしりょうかん

郷土の資料を展示する3施設

江戸時代の近江商人の歴史や文化を学べる施設。商家を利用した「歴史民俗資料館」と「旧西川家住宅」、ヴォーリズ建築の「郷土資料館」で構成される。郷土資料館は元近江八幡警察署の建物を利用している。☎0748-32-7048 住近江八幡市新町2-22 ¥入館500円 ◷9時～16時30分（入館は～16時）休月曜（祝日の場合は翌日）交バス停小幡町資料館前からすぐ Pなし MAP P60A4

長命寺
ちょうめいじ

健康長寿を願って観音霊場へ

標高約250mの長命寺山腹にたたずむ古刹で、西国三十三所第31番札所。遙か昔、武内宿禰（すくね）がこの山で長寿を祈願し、後に聖徳太子が寺を開いたと伝わる。本堂の千手・十一面・聖観音は国の重要文化財。DATA ☎0748-33-0031 住近江八幡市長命寺町157 ¥境内自由 ◷8～17時 休無休 交JR近江八幡駅から近江鉄道バス長命寺行きで25分、長命寺から徒歩20分 P30台 MAP 折込裏D4

長命寺温泉 天葉の湯
ちょうめいじおんせん あまはのゆ

湖畔の日帰り温泉で7種の湯めぐり

滋賀県随一の量があるラジウム温泉で7種の湯めぐりが楽しめる。広間やリクライニングチェア、琵琶湖を一望できるテラスなど湯上り後のくつろぎスポットも充実。DATA ☎0748-31-1126 住近江八幡市長命寺町68-1 ¥1200円（土・日曜、祝日は1500円）◷10～21時※金～日曜は10～22時 休無休（メンテナンス休あり）交JR近江八幡駅から車で20分 P65台 MAP 折込裏D4

旧西川家住宅
きゅうにしかわけじゅうたく

重要文化財の商家を見学

318年続いた由緒ある商家。中は京風の造りをしている。商材であった蚊帳や畳表の展示、帳場を再現した店の間など見どころ多数。DATA ☎0748-32-7048（近江八幡市立資料館）住近江八幡市新町2-22 ¥郷土資料館、歴史民俗資料館と共通入館500円 ◷9時～16時30分（入館は～16時）休月曜（祝日の場合は翌日）交バス停小幡町資料館前からすぐ Pなし（市営駐車場利用）MAP P60A4

merci
めるしー

ナチュラルな一軒家カフェ

明るい日差しが差し込むナチュラルテイストの店内。サンドイッチやパスタ、プレートなどのランチ、季節のフルーツをふんだんに使ったパフェなどのスイーツメニューも充実。季節のパフェは1100円～。DATA ☎0748-33-7717 住近江八幡市中小森町287-1 ◷11時30分～16時（土・日曜、祝日は～17時）、18～21時（要問合）休木曜、不定休あり 交JR近江八幡駅から徒歩19分 P12台 MAP 折込裏D4

手打ち蕎麦処 日牟禮庵
てうちそばどころ ひむれあん

豪商の邸宅で味わう絶品そば

元廻船問屋の邸宅だった趣深い日本家屋で営むそば店。信州八ヶ岳の石臼挽き粉で手打ちするそばは、抜群ののど越し。最上級の昆布とカツオで作る香り高いつゆで召し上がれ。人気の天ざるは1430円。DATA☎0748-33-2368 住近江八幡市西元町61 ⏲11時～14時30分※なくなり次第終了 休月曜、第3火曜(祝日の場合は翌日) 交バス停小幡町資料館前から徒歩5分 Pあり MAP P60B2

アンデケン 近江八幡本店
あんでけん おうみはちまんほんてん

昔ながらのスフレチーズケーキ

昔から地元の人にも親しまれる看板メニューがチーズケーキ。口に入れた瞬間スフレのようにふわりと溶け、アプリコットジャムのほどよい酸味がクセになるおいしさ。ホールタイプは5号1790円、1ピースは350円。DATA☎0748-33-2100 住近江八幡市鷹飼町551 ⏲9～19時 休火曜 交JR近江八幡駅から徒歩5分 P18台 MAP P60B2

和た与
わたよ

近江商人も好んだでっち羊羹

文久3年（1863）創業の老舗和菓子店。職人が一本一本手作りする看板商品のでっち羊羹は、砂糖で甘く炊いた餡を竹皮でくるんだ蒸し羊羹。近江銘菓として親しまれている。でっち羊羹1本356円、ういろ餅小648円。DATA☎0748-32-2610 住近江八幡市玉木町2-3 ⏲9～18時 休火曜（祝日の場合は営業）交バス停小幡町資料館前からすぐ P20台 MAP P60A4

乃利松食品 吉井商店
のりまつしょくひん よしいしょうてん

近江八幡名物、赤こんにゃく

天保7年（1836）創業、近江八幡名物「赤こん」こと赤こんにゃくの老舗。赤色は三二酸化鉄によるもので、織田信長が赤の長襦袢をまとい、踊り狂ったという火祭り「左義長祭」にちなんだと伝わる。味付け八幡こんにゃく380円がおすすめ。DATA☎0748-32-2475 住近江八幡市為心町上21 ⏲8～19時 休日曜 交バス停八幡堀八幡山ロープウェーロから徒歩3分 P5台 MAP P60B4

グリーンホテルYes近江八幡
ぐりーんほてるいえすおうみはちまん

大浴場が人気のホテル

JR近江八幡駅から八幡堀のある観光エリアへ向かう道中に位置するホテル。近江八幡駅からは随時無料の送迎サービスも（6～24時）。日帰り利用も可能な炭酸カルシウムの大浴場「八幡の湯」や、地元食材を使う朝食も評判。DATA☎0748-32-8180 住近江八幡市中村町21-6 ¥1泊朝食付8000円～ ⏲IN15時/OUT11時 交JR近江八幡駅から徒歩7分 P36台 MAP P60B2

近江八幡まちや倶楽部
おうみはちまんまちやくらぶ

地域の文化が香る町家の宿

国登録有形文化財の本館とモダンに改装した別邸があり、地元の伝統工芸品やアート作品が随所に。ヴォーリズ設計の洋館に泊まる特別プランにも注目。DATA☎0748-32-4672 住近江八幡市仲屋町中21 ¥1泊朝食付1万650円～（1室の定員と料金は部屋によって異なる）⏲IN15時／OUT10時 交バス停八幡堀八幡山ロープウェーロから徒歩3分 P7台 MAP P60B4

ひと足のばして 織田信長ゆかりの安土へ

織田信長が城を築いた天下統一の拠点・安土で戦国ロマンにふれてみましょう。

安土城跡
あづちじょうせき

信長の夢の跡を巡り歩く

本能寺の変後に城は焼失したが、石垣や本丸跡などの遺構が残る。DATA☎0748-46-6594（安土山受付）住近江八幡市安土町下豊浦 ¥入山料700円 ⏲9～16時（季節により変動あり）休無休※天候により入山不可の場合あり 交JR安土駅から入山口まで徒歩25分（入山口から天主跡まで徒歩30分）Pあり（無料） MAP 折込裏E4

羽柴秀吉邸など重臣たちの住居跡も残る

安土城郭資料館
あづちじょうかくしりょうかん

模型や壁画で安土の歴史をたどる

20分の1のスケールで復元された安土城の模型や、安土城屏風絵風陶板壁画が見られる。喫茶コーナーもあり。DATA☎0748-46-5616 住近江八幡市安土町小中700 ¥入館200円 ⏲9～17時（入館は～16時30分）休月曜（祝日の場合は翌日）交JR安土駅からすぐ P20台 MAP 折込裏E4

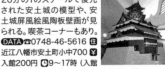

内部まで精巧につくられた開閉式の1/20安土城は必見

近江八幡の市街地から安土城跡へは、バス＋電車＋徒歩で約1時間。車なら10分ほどでアクセスできます。

近江商人発祥地の一つ 五個荘（ごかしょう）で昔ながらの町並みを散策

近江八幡の東に広がる五個荘は、近江商人発祥地の一つ。
JR近江八幡駅からJR能登川駅まで新快速で約5分。

江戸～明治の時代にタイムスリップしたような気分に

懐かしさを感じる円柱タイプのポストを発見

ごかしょうこんどうのまちなみ

五個荘金堂の町並み

趣深い舟板塀と蔵屋敷が並ぶ昔ながらの町

白壁がまぶしい土蔵と、びわ湖で使われていた船の板をリサイクルした舟板塀が続く美しい町並み。国の重要伝統的建造物群保存地区に指定されている。

☎0748-29-3920（東近江市観光協会）住東近江市五個荘金堂町 ¥時休散策自由 交JR能登川駅から近江鉄道バスで10分、バス停ぷらざ三方よし下車、徒歩5分 Pぷらざ三方よし駐車場利用 MAP折込裏E4

カラフルな錦鯉が水路を悠々と泳ぐ

金堂まちなみ保存交流館で五個荘の情報を入手しよう

とのむらしげるてい

外村繁邸

第1回芥川賞候補作家の生家

『草筏』をはじめ、近江商人を題材とした作品を綴った作家・外村繁の生家。家業である木綿呉服問屋は弟に譲り執筆に専念したという。直筆の原稿や書簡も展示されている。

☎0748-48-5676 住東近江市五個荘金堂町631 ¥入館400円 時10時～16時30分 休月曜（祝日の場合は翌日）、12月28日～1月4日 交バス停ぷらざ三方よし前下車、徒歩5分 P東近江市ぷらざ三方よし横きぬがさ駐車場利用 MAP折込裏E4

外村繁が執筆時に使っていた文机が残る

家族のほか女中もいる大所帯だったため、水屋（台所）が広々

1

近江商人って？

江戸から明治にかけ、近江（現在の滋賀県）を拠点に全国を渡り歩いた商人のこと。近江八幡のほか、五個荘も近江商人発祥地の一つで当時の商人屋敷や町並みを残している。

なかえじゅんごろうてい

中江準五郎邸

「幻の百貨店王」三中井一族の邸宅

朝鮮半島や中国大陸に20数店の百貨店を出店、莫大な富を築いた三中井一族の一人、中江準五郎の邸宅。庭園の石灯籠やびわ湖の形をした池も必見。

☎0748-48-3399 住東近江市五個荘金堂町643 ¥入館400円 ⏲10時～16時30分 休月曜（祝日の場合は翌日）、12月28日～1月4日 交バス停ぷらざ三方よし前下車、徒歩5分 P東近江市ぷらざ三方よし横きぬがさ駐車場利用 MAP折込裏E4

2

3

1 昭和8年（1933）に建てられた 2 灯籠や大小の飛び石を配した、変化に富む景色が見どころ
3 蔵では郷土玩具の小幡人形や全国の土人形を展示

五個荘でランチ

うか ろっこん

湖香 六根

湖国近江の恵みを享受、滋味に富む薬膳ランチ

築およそ180年の趣ある古民家を生かした空間で、発酵食品や近江牛など滋賀の食材をふんだんに使った料理が味わえる。近江牛の糠漬けが看板料理。

☎0748-43-0642 住東近江市五個荘川並町713 ¥11時30分～※ランチ、ディナーともに完全予約制 休火・水曜 交バス停ぷらざ三方よし前下車、徒歩5分 Pなし MAP折込裏E4

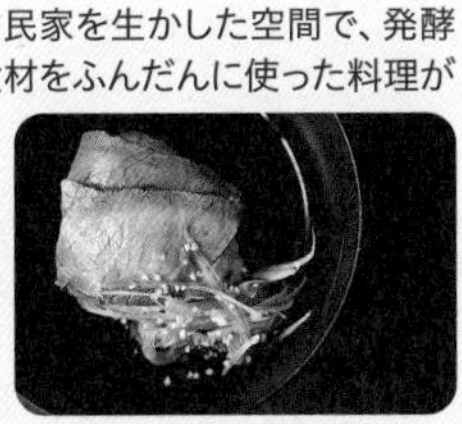

ランチコース6600円～の〆は近江牛のぬか漬茶漬け

おりょうり なやまご

お料理 納屋孫

近江商人御用達の老舗料亭

創業200年を超える歴史を紡ぐ料理店。名物の鯉の筒煮をはじめ、鮒やモロコ、ウナギなど四季折々の湖魚料理を味わえる。

☎0748-48-2631 住東近江市五個荘川並町620 ¥11～15時、17～21時（2日前までに要予約）休不定休 交バス停ぷらざ三方よし前から徒歩2分 P10台 MAP折込裏E4

季節のおまかせ料理7260円～（写真は1万円～）

外村繁邸には川の水を引き入れたエコな洗い場「川戸」が残っているので注目してみましょう。

彦根を見守る美しい国宝天守
井伊家ゆかりの名城、彦根城へ

彦根藩主・井伊家ゆかりの麗しき国宝・彦根城。
見どころ満載の城内はもちろんのこと、ひこにゃんに会えるのもお楽しみ。

ひこねじょう

彦根城

華麗な天守を擁する
井伊家の居城

「徳川四天王」として活躍し、初代彦根藩主となった井伊直政の長男・直継が徳川幕府の命を受けて着工。安土城、長浜城など他の城の石垣や古材を活用し、次男・直孝の代まで18年の歳月をかけて築城した。

☎0749-22-2742 住彦根市金亀町1-1 ¥入場800円、2024年10月から1000円（玄宮園と共通）🕒8時30分～17時（最終入場16時30分）休無休 交JR彦根駅から徒歩15分 P335台（1回1000円）MAP P61B2

おすすめルート

1 佐和口多聞櫓 → 2 馬屋 → 3 天秤櫓 → 4 時報鐘・聴鐘庵 → 5 太鼓門櫓 → 6 天守

ぐるっと回って1時間

彦根市のキャラクター ひこにゃん

彦根藩井伊家2代当主を雷雨から救ったという猫がモチーフ。1日2～3回、天守前や博物館前などに登場する
★詳細スケジュールは公式Webサイトでcheck
https://hikone-hikonyan.jp/

天守の内部も見学できる

垂直に近い急な階段を上がり、三層の天守の最上階まで行くことができる。平山城なので眺望抜群。彦根の町並みやびわ湖の景色を楽しもう。

1 佐和口多聞櫓（さわぐちたもんやぐら） 重文

JR彦根駅からは佐和口多門櫓から城内へ。城内に4つ残る櫓の一つで、敵の襲来時には城の防御や攻撃、見張り台としての役割を持つ。

2 馬屋（うまや） 重文

藩主専用の馬が常時十数頭待機していたという細長い建物で、自由見学OK。こけら葺きの美しい屋根にも注目。

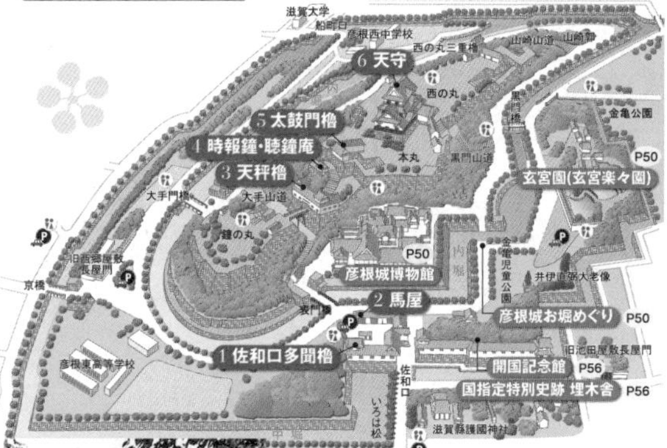

3 天秤櫓（てんびんやぐら） 重文

日本の城郭では唯一といわれる、左右対称の造りをした櫓。非常事態には櫓の中央の橋を落とし、敵の侵入を防いだという。

4 時報鐘・聴鐘庵（じほうしょう・ちょうしょうあん）

江戸時代から定刻を知らせてきた鐘で、現在も1日5回、3時間おきに撞く。隣接する聴鐘庵では抹茶と和菓子で一服できる。

6 天守（てんしゅ） 国宝

全国に5つ残る国宝天守の一つ。高さ21mと小ぶりな造りだが、切妻破風、入母屋破風などデザインの異なる屋根が調和している。

5 太鼓門櫓（たいこもんやぐら） 重文

天守のある本丸への最後の砦。東側には壁がなく、柱の間に高欄を設けた廊下になっているのが珍しい。

JR彦根駅へは、JR米原駅からJR琵琶湖線 新快速で約5分。

彦根城周辺の城下町で歴史スポットめぐり

彦根城の見どころは城内だけにとどまりません。
藩主が愛でた庭園や博物館など歴史スポットを訪ねましょう。

風のないおだやかな日は池の水面に天守が映る

P49MAP

玄宮園（玄宮楽々園）

げんきゅうえん（げんきゅうらくらくえん）

彦根城の天守を一望 風趣に富む大名庭園

彦根藩4代目藩主・井伊直興（なおおき）が2年の歳月をかけて造営した屋敷と池泉回遊式庭園。園内の茶室・鳳翔台では薄茶と和菓子がいただける。☎0749-22-2742（彦根城運営管理センター）住彦根市金亀町 ¥入場800円（彦根城と共通、単独券は200円）2024年10月から1000円（彦根城と共通、単独券は400円）🕒8時30分～17時（最終入場16時30分、鳳翔台は9～16時）休無休 交JR彦根駅から徒歩15分 P335台（1回1000円）MAP P61B2

庭園の眺めとともに薄茶と和菓子500円を

井伊家の下屋敷、楽々園の外観も見学可

P49MAP

彦根城博物館

ひこねじょうはくぶつかん

かの「井伊の赤備え」やゆかりの名品を鑑賞

江戸時代に彦根藩の政庁だった表御殿を復元。「井伊の赤備え」と称される、機能性と美しさを兼ね備えた軍備用品をはじめ、伝来の品々を展示している。☎0749-22-6100 住彦根市金亀町1-1 ¥入館500円、2024年10月から700円 🕒8時30分～17時（入館は～16時30分）休12月25～31日、ほか休館日あり 交JR彦根駅から徒歩15分 P近隣市営有料駐車場利用 MAP P61B2

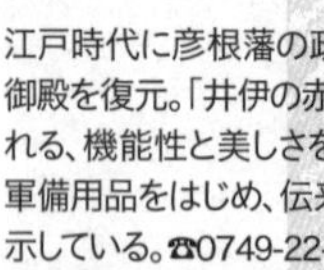

彦根城表門の内に構える。ひこにゃん登場スポットの一つ

井伊家の朱塗りの軍装「赤備え」。写真は2代目直孝所用具足

P49MAP

彦根城お堀めぐり

ひこねじょうおほりめぐり

再現した井伊家の藩主専用船で彦根城の内堀を周遊

当時の資料をもとに藩主専用船を再現した屋形船で遊覧。ガイドさんの説明を聞きながら、約45分かけて内堀をめぐる。☎080-1461-4123（NPO法人小江戸彦根）住彦根市金亀町 玄宮園前船着場 ¥乗船1500円 🕒10～15時※土・日曜は～16時（季節により変動あり）休不定休 交JR彦根駅から徒歩15分 Pなし MAP P61B2

石垣や天守などを、普段とは違う目線で見られるのが楽しい

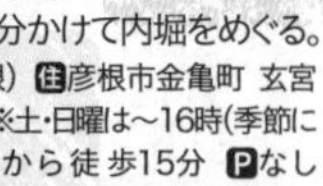

竿でバランスを取り、橋の下をくぐる船頭補助さんのスゴ技も必見

お堀は鳥たちの楽園

彦根城の内堀や中堀では、コガモやカイツブリなどの野鳥が悠々と泳ぐ姿が見られる。優美な姿の白鳥の親子も暮らしている。

城下町の立ち寄りストリート

ゆめきょうばし きゃっするろーど

夢京橋キャッスルロード

城下町の立ち寄りストリート

彦根城の中堀に架かる京橋から南西にのびる「夢京橋キャッスルロード」。江戸時代の城下町を再現した通りで、ご当地グルメ&みやげ選びが楽しめる。
住彦根市本町 交JR彦根駅から徒歩15分。バスならJR彦根駅から近江鉄道バス南彦根駅行きで5分、本町キャッスルロード下車すぐ P京橋口駐車場(有料60台)などを利用

うなぎや げんない

うなぎや 源内

厳選された国産うなぎと地元産近江米の競演

国産うなぎを備長炭でじっくりと焼き上げ、コクのあるタレをからめたうなぎ丼は、皮はパリッ、身はふっくらとした仕上がり。米は地元の近江米を使用。☎0749-27-5025 住彦根市本町2-1-6 ⏰11時～14時30分、17～20時 休月曜夜、火曜 交JR彦根駅から徒歩20分 P7台 MAP P61B3

うなぎ丼(並)2420円。身のふわっとした食感がたまらない

うなぎ丼のほか、源内ひつまぶしも絶品

びわ湖産の新鮮な小鮎を、ふっくらと煮上げた小あゆ煮(90g)1080円～

「鮒寿し」1296円はマイルドな味わいで食べやすい

鮎の養殖を手がける水産会社直営の店

ここっとこーひーてん

ここっと珈琲店

カフェもランチも充実 かわいいひこにゃんコッペが人気

創作パスタやコッペパンが評判。コーヒーやデザートなどのカフェメニューも充実で、観光の合間にひと時ゆったり過ごせる。☎0749-22-8761 住彦根市本町1-7-35 ⏰11～17時(16時LO) ※ランチは～15時 休不定休 交JR彦根駅から徒歩21分 P四番町スクエア第2駐車場利用 MAP P61B3

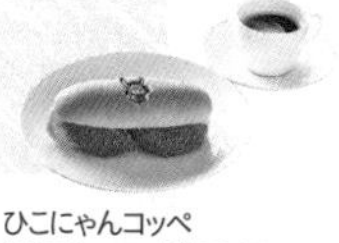

ひこにゃんコッペ(近江牛コロッケ)580円

青いのれんが目印。メニューはテイクアウトもOK

あゆのみせきむら ひこねきょうばしてん

あゆの店きむら 彦根京橋店

自家生産する湖魚料理でびわ湖の恵みを享受

びわ湖に生息する小アユやビワマスなどの湖魚で作る佃煮や天然ニゴロブナを使った鮒寿しなどを揃える。また、シーズンには店頭で鮎の塩焼きも。☎0749-24-1157 住彦根市本町2-1-5 ⏰10～17時 休火曜 交JR彦根駅から徒歩20分 P2台 MAP P61B3

お城見物の前後に立ち寄りたい ご当地グルメスポット

近江牛にご当地丼、滋賀県民のソウルフードまで、滋賀グルメが充実。
地元の人も通う、注目度の高いお店をご紹介します。

地元の近江牛専門店直営 絶品コースに舌鼓

近江牛すき焼き鍋膳　4200円

近江牛のすき焼きに、近江牛刺身も付く満足度の高いコース

近江牛

おうみにくせんなりてい きゃら

近江肉せんなり亭 伽羅

自社牧場で育てた認定近江牛を扱う老舗。きめ細かく上品な甘みが特徴の雌の未経産牛のみを提供。築300年の蔵を再生した空間で、ゆったりと食事を楽しむことができる。

☎0749-21-2789 住彦根市本町2-1-7 🕒11時30分～20時30分LO(15～17時準備中) 休火曜 交JR彦根駅から徒歩15分 P9台 MAP P61B3

店内には個室のほか大広間もある

近江ちゃんぽん

おうみちゃんぽんていほんてん

近江ちゃんぽん亭本店

昭和38年(1963)に彦根で開業した「麺類をかべ」がルーツの近江ちゃんぽん専門店。近江鶏や6種の削り節などを近江ちゃんぽん用に独自ブレンドした黄金だしがコシのある自家製麺とベストマッチ。

☎0749-26-9139 住彦根市幸町74-1 🕒11時～22時30分 休無休 交名神高速道路彦根ICから車ですぐ P24台 MAP 折込裏F3

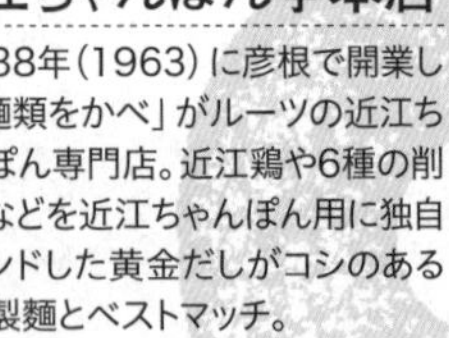

白い建物に金の文字が目を引く個性的な外観

スープも飲み干したい滋賀のソウルフード

近江ちゃんぽん野菜大盛
990円

県内の契約農家から仕入れる野菜が豚肉の旨みと甘味を引き出す

彦根市認定の「ひこね丼」

彦根市制75周年記念事業として10年ほど前に誕生。約10軒ほどの店が近江米と地元の食材を使い、オリジナリティあふれる丼を創り出している。

和牛がたっぷり
縁起もGOODなご当地丼

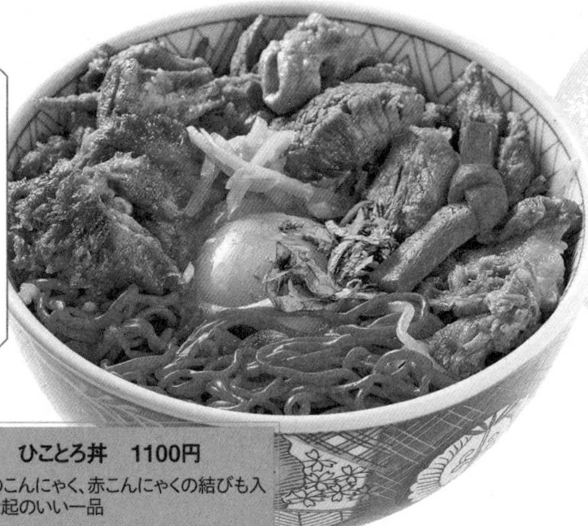

ひことろ丼　1100円

紅白のこんにゃく、赤こんにゃくの結びも入った縁起のいい一品

ひことろ丼

やちよ

八千代

近江名物が味わえる気さくな食事処。和牛のすじ肉、特産の赤こんにゃく、地元産ネギなどを上品なすきやき風に味付けした「ひことろ丼」が好評。

☎0749-22-1159 住彦根市旭町9-1 ⏰10時30分～20時30分LO 休不定休 交JR彦根駅からすぐ P契約駐車場利用 MAP P61C3

JR彦根駅前という便利な立地で100年の時を刻む老舗

“味変”にワクワク
近江牛のひつまぶし風

近江牛まぶし
1780円

最初はそのままで、次は薬味を添えて、シメはだし茶漬けにして召し上がれ

近江牛

すきやき・うどん にしかわ

すき焼き・うどん にし川

やわらかい肉質で、甘みとコクのある旨みを併せもつ、A4クラス以上の雌牛を使用。近江牛テールを使ったコラーゲン豊富なテールうどん1420円も評判。

☎0749-26-3313 住彦根市本町1-8-28 ⏰11～20時 休水曜 交彦根ICから車で8分 P85台（四番町スクエア駐車場） MAP P61B3

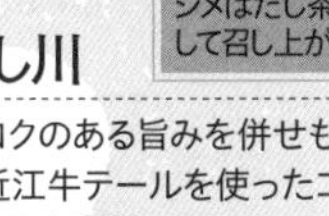

テーブル席のほかカウンター席もあり、ひとりでも気楽

のど越しと香りに魅了
伝統の伊吹そば

盛りそば
950円

そば本来の味とコシを楽しむならシンプルが一番。だしの効いた特製ツユにつけて

伊吹そば

けんじょういぶきそば つるきあん

献上伊吹そば つる亀庵

伊吹山の契約農家から仕入れるそば粉と湧水を使い、かつて将軍家に献上されていたという「伊吹そば」を再現。近江の食材を生かした変わりそばも。

☎0749-26-2615 住彦根市立花町1-1 ⏰11時30分～15時、17時～19時30分LO 休水曜（桜・紅葉シーズンは不定休） 交JR彦根駅から徒歩8分 P60台（隣接の無料駐車場利用） MAP P61B3

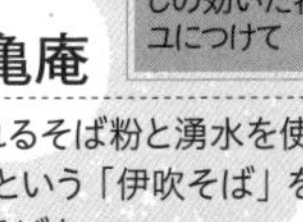

和の風情が漂う落ち着いた雰囲気の店内

老舗の和菓子から評判の洋菓子まで ご当地スイーツをおみやげに

大切な人への手みやげにしたい逸品から散策中のおやつまで
彦根のいちおしスイーツをセレクトしました。

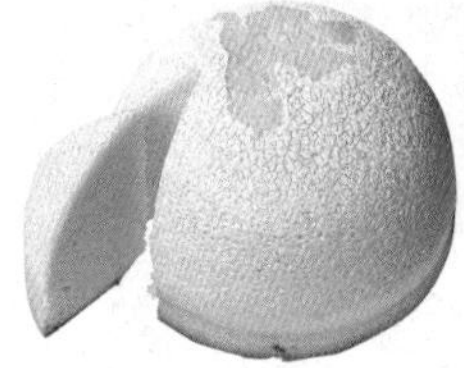

天使のふわふわ スフレ1728円

エアリーな食感のチーズケーキは彦根美濠の舎限定

彦根城 918円～

代表銘菓の栗饅頭と斗升最中の各2個入※内容や価格は季節により異なる

バームクーヘン 1296円～

熟練の職人が焼き上げる、言わずと知れた超定番

ひこにゃん人形焼 160円

鹿の子豆入りの生地はモチモチ。1個から購入OK

三十五万石 170円

彦根藩主・井伊家をモチーフにした看板銘菓。求肥入り

35（さんじゅうご） きなこ・シナモン210円 ミエル260円

井伊家の石高35万石にちなんだアーモンド風味の焼き菓子

彦根美濠の舎（たねや・クラブハリエ）

（ひこねみほりのや（たねや・くらぶはりえ））

滋賀を代表する有名店の定番&限定スイーツ

彦根城のお堀の畔に立つ、和菓子の「たねや」と洋菓子の「クラブハリエ」を併設するショップ&カフェ。2階のカフェでは季節の素材を使ったデザートが楽しめる。

☎0749-49-2222 住彦根市本町1-2-33 ⏰和・洋菓子販売9～18時、カフェ10～18時(17時LO) 休無休(1月1日を除く) 交JR彦根駅から徒歩15分 P40台 MAP P61B3

彦根城見物の前後に立ち寄りたい

菓心おおすが 本店

（かしんおおすが ほんてん）

地元客も手みやげに重宝 伝統×モダンな和菓子

地元彦根で三代続く人気の和菓子店。彦根藩にちなんだ菓子や、ひこにゃんモチーフの菓子、季節替わりの菓子などを販売している。デザイン性の高いパッケージも人気の理由。

☎0749-22-5722 住彦根市中央町4-39 ⏰8～18時 休水・木曜、その他不定休あり 交JR彦根駅から徒歩15分 P15台 MAP P61B3

店内はスタイリッシュな雰囲気

季節限定の和菓子に注目！

老舗和菓子店、いと重菓舗の銘菓「埋れ木」は、春限定でさくらが香る「埋れ木さくら」がお目見えする。季節の到来を心待ちにしたい逸品だ。

いと重菓舗 夢京橋店（いとじゅうかほ ゆめきょうばしてん）

やわらかな求肥に魅了 井伊直弼ゆかりの銘菓

彦根藩主・井伊家の御用達だった老舗和菓子店。白餡をやわらかな求肥で包む「埋れ木」は彦根みやげに最適。

☎0749-22-6005 住彦根市本町1-7-41 ⏰10時～17時30分 休火曜 交JR彦根駅から徒歩15分 Pなし MAP P61B3

埋れ木 6個入972円
ほろりとほどける上品な甘さは茶菓子に重宝

店内にはもなかやカステラなども並ぶ

どら焼き 虎てつ（どらやき こてつ）

食べるのがもったいない!? ひこにゃんのどら焼き

良質な小豆をふっくらと炊き上げた自家製小倉あんのどら焼き「ひこどら」が看板商品。ひこにゃんの焼印がキュート。

☎0749-26-3838 住彦根市立花町1-2 ⏰9時30分～17時30分 休不定休 交JR彦根駅から徒歩10分 P40台 MAP P61B3

ひこどら　1個270円
ハチミツをたっぷり加えた生地が上品な味わい

彦根城の中堀沿いに店を構える。きんつばもおすすめ

&Anne（あんどあん）

プレゼントにもぴったりなフランスの伝統菓子

カヌレやファーブルトンなどフランス伝統菓子が並ぶ洋菓子店のほか書店、展示室を併設。ゆっくり過ごしたい空間。

☎0749-22-5288 住彦根市中央町4-35 ⏰10時30分～18時 休水・木曜 交JR彦根駅から徒歩15分 Pあり（菓心おおすが隣接駐車場利用） MAP P61B3

カヌレ　320円
フランス修道院発の伝統菓子

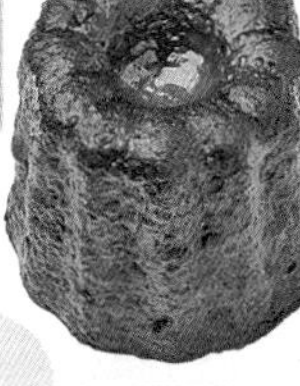

チョコレートのスコーン　320円
サクッとした食感で、コーヒーや紅茶のおともにぴったり

ファーブルトン 320円
もっちりとした食感のフランス伝統菓子

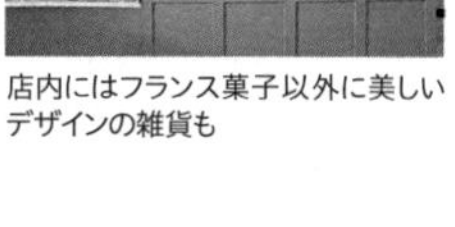

店内にはフランス菓子以外に美しいデザインの雑貨も

菓心おおすが本店と&Anneは隣接しているので、2軒とも訪ねて和・洋菓子を手に入れて。

ココにも行きたい

彦根周辺のおすすめスポット

りょうたんじ
龍潭寺

禅寺の名庭と対峙し心を鎮める

彦根城主である井伊家の菩提寺で、彦根藩15代藩主・井伊直弼の生母の墓や側室里和の文塚など多くの史跡が残る。方丈南の枯山水庭園「ふだらくの庭」と書院東に広がる小堀遠州ゆかりの「鶴亀蓬莱庭園」、江戸初期のふたつの庭園が見どころ。4月のだるままつりも有名。DATA☎0749-22-2777 住彦根市古沢町1104 ¥拝観400円 ⏰9～16時 休無休 交JR彦根駅から徒歩20分 P25台 MAP P61C1

ごひゃくらかん てんねいじ
五百羅漢 天寧寺

500体もの羅漢像が圧巻！

彦根の城下町を一望する丘の上にたたずむ古刹で、彦根藩主の井伊直中が建立。京都の名工・駒井朝運が手がけた、さまざまな表情の木造羅漢が仏殿に並ぶ様は圧巻。自分が探し求める人の顔が見つかるという。楚々とした萩の花が咲く晩夏から初秋にかけての拝観もおすすめ。DATA☎0749-22-5313 住彦根市里根町232 ¥拝観400円 ⏰9～16時 休不定休 交JR彦根駅（東口）から徒歩15分 P30台 MAP折込裏F3

ちよじんじゃ
千代神社

芸の上達祈願で信仰される古社

天宇受売命（あめのうずめのみこと）と猿田彦命（さるたひこのみこと）を祭神とする古社で本殿は重要文化財に指定。特に天宇受売命は俳優（わざおぎ）の始祖神、芸能の祖神と崇められており、技芸の上達やオーディションの合格を祈願しに、有名俳優や芸能関係者も参拝に訪れる。小さな扇の形をした雅な「扇おみくじ」が人気を集めている。DATA☎0749-22-1237 住彦根市京町2-9-33 ¥入館無料 ⏰9～16時 休無休 交JR彦根駅から徒歩12分 P10台 MAP P61B4

くにしていとくべつしせき うもれぎのや
国指定特別史跡 埋木舎

若き日の井伊直弼が過ごした屋敷

井伊直弼が17歳から15年間過ごした彦根藩の屋敷で、直弼ゆかりの資料を展示している。直弼はこの地で文武両道を習得したといい、直弼が自身の和歌にちなんで名付けたのが名の由来。DATA☎0749-23-5268 住彦根市尾末町1-11 ¥入館300円 ⏰9時～16時30分 休月曜（祝日の場合は翌日、ほか不定休あり）。12月20日～2月末日は閉館（日にちは不定）交JR彦根駅から徒歩10分 Pなし MAP P61B2

すみすきねんどう（きゅうすみすきねんれいはいどう）
スミス記念堂（旧須美壽記念禮拝堂）

和洋折衷の美しき礼拝堂

全国でも珍しい和風の礼拝堂で、昭和6年（1931）にアメリカ人牧師のパーシー・スミス氏が手がけた。市民の寄付により再生し、現在はコンサート会場としても活用されている。扉の十字架文様など、和を基調としたなかに西洋の意匠が見られる細部に注目。DATA☎0749-24-8781 住彦根市本町3 ¥見学無料 ⏰休見学は要事前予約 交JR彦根駅から徒歩20分 P5台 MAP P61A3

かいこくきねんかん
開国記念館

彦根の歴史に親しむ

昭和35年（1960）、井伊直弼の没後100年の記念事業として建てられた。彦根城の佐和口多聞櫓を再現した建物の内部では、彦根の歴史に関する展示を行っている。企画展示も見逃せない。DATA☎0749-22-2742（彦根城運営管理センター）住彦根市金亀町3-2 ¥入場無料 ⏰8時30分～17時（最終入場16時45分）休12月25～31日 交JR彦根駅から徒歩15分 P彦根城内有料駐車場利用 MAP P61B2

ひないじどりほっこりや
比内地鶏ほっこりや

比内地鶏と近江の地酒を堪能

日本三大地鶏の一つとされる比内地鶏を使った、バラエティに富む料理が味わえる食事処。近江の地酒も20種以上揃っており、落ち着いた店内でゆったりと食事を楽しむことができる。濃厚な旨みが印象的な比内地鶏を使ったふわとろ親子丼は1518円。DATA☎0749-21-3567 住彦根市本町2-2-11 ⏰11時30分～14時30分、17時30分～22時（21時LO）休水曜 交JR彦根駅から徒歩15分 P10台 MAP P61B3

もく
朴（MOKU）

神社の境内でカフェタイム

滋賀縣護國神社の境内にある無料休憩所を半年がかりでリノベーションしたカフェで、緑に包まれたロケーションが魅力。できる限り自家製にこだわったヘルシーで素朴な手作り料理に心も身体も癒される。平日限定のご飯セットは1300円（写真は一例）。DATA☎0749-22-0839 住彦根市尾末町1-59 ⏰12～15時 休土～月曜、祝日（第3日曜は営業）交JR彦根駅から徒歩8分 P6台 MAP P61B3

めんしょうちゃかぽん
麺匠ちゃかぽん

近江牛を使った個性派うどん

近江牛の専門店・千成亭がプロデュースする、近江牛を使った麺処。代々彦根藩主を務めた井伊家をイメージして作る料理が、江戸時代後期に彦根などで生産された湖東焼の器で味わえる。「赤鬼うどん2代目」1380円は、近江牛のしゃぶ肉が豪快にのった個性的な一品。DATA☎0749-27-2941 住彦根市本町2-2-2 ⏰11時～14時30分LO 休火曜、第2・4月曜 交JR彦根駅から徒歩15分 P10台 MAP P61B3

せつげっか
雪月花
最高級の近江牛を満喫

創業から60年以上の精肉店が営む近江牛専門店。厳選されたとろけるような食感の近江牛だけを使ったすき焼きや炭火焼きが評判。おすすめは、季節のナムルや近江牛握り寿司、デザートなどが付き、シメも選べるお昼のおまかせランチ「月」4180円。夜の近江牛の予算は5500円～。DATA ☎0749-26-2929 住彦根市戸賀町93-1 ⏲11～15時、17～23時 休無休 交JR南彦根駅から徒歩15分 P20台 MAP折込裏E3

まんどころえん ゆめきょうばしてん
政所園 夢京橋店
江戸中期創業の日本茶専門店

化学肥料不使用、完全無農薬栽培の政所茶や近江茶をはじめ全国から厳選した茶葉を扱う。併設の茶房源三郎の人気は、濃厚な抹茶またはほうじ茶をそれぞれ2種使った「もこもこ源三郎ソフト」530円。DATA ☎0749-22-8808 住彦根市本町2-1-7 ⏲10～17時 休火曜（観光シーズンは営業）交JR彦根駅から徒歩15分 P3台 MAP P61B3

えいげんじ
永源寺
約3000本のカエデが真紅に染まる

康安元年（1361）創建の臨済宗の古刹。葭葺きの本堂や十六羅漢も見どころ。DATA ☎0748-27-0016 住東近江市永源寺高野町41 ¥参拝志納料500円、紅葉期（11月ごろ）の庭園特別公開は別途500円（抹茶・菓子付き）⏲9～16時（紅葉シーズンは8～17時、ライトアップ時期は～20時30分）休無休 交近江鉄道八日市駅から近江鉄道バス永源寺車庫行きで35分、永源寺前から徒歩すぐ Pなし MAP折込裏F4

いけだぼくじょうじぇらーとしょっぷこうそう
池田牧場ジェラートショップ香想
牧場直営のできたてジェラート

池田牧場のフレッシュな牛乳で作るできたてのジェラートは、ミルクや抹茶、チーズケーキなどの定番や季節限定の約30種類が揃う。イタリアンジェラートシングル盛375円、ダブル盛480円。搾りたての牛乳で作るカフェオレも人気。DATA ☎0748-27-1600 住東近江市和南町1572-2 ⏲10～18時（10～3月は～17時）休水曜（1・2月は水・木曜）交名神高速道路八日市ICから車で20分 P50台 MAP折込裏F5

ひとみわいなりー
ヒトミワイナリー
国産ぶどう100%のにごりワイン

国産原料100%のワインを濾過せず製造するにごりワインの醸造所。ワインサーバーで無料でテイスティングができるので、自分好みのワインに出会える。国内最大級のバーナード・リーチコレクションを所蔵する日登美美術館も見逃せない。DATA ☎0748-27-1707 住東近江市山上町2083 ⏲11～18時 休月・木曜 交近江鉄道八日市駅から近江鉄道バス永源寺車庫行きで30分、山上口下車すぐ P8台 MAP折込裏F4

えいげんじおんせん はっぷうのゆ
永源寺温泉 八風の湯
四季折々の自然に包まれた天然温泉

愛知川のせせらぎと豊かな自然を望む開放感あふれる露天風呂や、ゆったりとした内湯、薬草風呂などがある。泉質は、刺激が少なく肌がツルツルになると評判。岩盤風呂やサウナもあり。DATA ☎0748-27-1126 住東近江市永源寺高野町352 ¥入浴1300円（土・日曜、祝日は1700円）⏲10時30分～22時（最終受付は60分前）休無休（臨時休業あり）交JR近江八幡駅から無料シャトルバスで45分 P118台 MAP折込裏F4

ひと足のばして 関西屈指の紅葉名所へ

天台宗の三名刹の総称「湖東三山」へ。国宝や重要文化財と美景を訪ね歩こう。

さいみょうじ
西明寺
境内を包み込む苔も美しい

国宝の本堂や三重塔と紅葉が競演。苔や不断桜など紅葉以外も必見。DATA ☎0749-38-4008 住甲良町池寺26 ¥拝観800円、春・秋の本堂後陣仏像群特別拝観は別途1000円 ⏲8時30分～17時（入山は～16時30分）休無休 交JR彦根駅から車で20分 P300台 MAP折込裏F4

こんごうりんじ
金剛輪寺
真紅に染まる“血染めのもみじ”

天平13年（741）に高僧・行基が開創。国宝の本堂や重要文化財の三重塔、行基自らが彫った秘仏の本尊をはじめとした仏像群も見どころ。DATA ☎0749-37-3211 住愛荘町松尾寺874 ¥拝観800円 ⏲8時30分～16時30分 休無休 交JR稲枝駅から車で15分 P300台 MAP折込裏F4

くにしせき ひゃくさいじ
国史跡 百済寺
聖徳太子が創建、近江最古級の寺

聖徳太子が立木に観音像を彫り、お堂を建立したのが始まり。起伏に富む本坊庭園も見事。DATA ☎0749-46-1036 住東近江市百済寺町323 ¥拝観600円（特別拝観は変動あり）⏲8時30分～17時（紅葉シーズンはライトアップあり）休無休 交近江鉄道八日市駅から車で13分 P250台 MAP折込裏F4

紅葉シーズン中はJR彦根駅から湖東三山連絡シャトルバスが運行しています。

近江鉄道でひと足のばして 多賀大社で縁結び&長寿を祈願

彦根駅から電車で20分ほどで訪れられる、多賀大社。
地元では"お多賀さん"の愛称で親しまれるご利益スポットです。

はいでん・ほんでん
拝殿・本殿
手前に拝殿、奥に本殿が立つ。現在の社殿は昭和7年(1932)に再建されたもの。両脇に羽を広げたような回廊も雅やか

たがたいしゃ
多賀大社

「お伊勢参らばお多賀へ参れ」歌にも詠まれた神様

伊邪那岐大神(いざなぎのおおかみ)と伊邪那美大神(いざなみのおおかみ)の2柱が祭神。夫婦の神であることから、古来縁結びの神として信仰を集めてきた。平安末期、東大寺再建の任務を全うするため僧・重源が莚命祈願をして見事叶ったという逸話により、莚命長寿のご利益も有名。

☎0749-48-1101 住多賀町多賀604 ¥境内自由(奥書院・庭園拝観は300円) 営8時30分～16時 休無休 交近江鉄道多賀大社前駅から徒歩10分 P300台 MAP折込裏F3

さんどう
参道
近江鉄道多賀駅から続く参道には、旅情を誘うみやげ店やカフェが点在している

お多賀杓子600円は授与所で授かれる

しゃくし
杓子
元正天皇に杓子と米を奉納したところ、天皇の病が癒えたことから縁起物の象徴となった

延命長寿の寿命そば

多賀大社の境内にあるそば処は、その名も「寿命そば」。延命長寿のご利益を授かれるといわれている。無添加にこだわっただしと手作りのそばで長寿を願おう。☎0749-48-1101(多賀大社) MAP 折込裏F3

たいこばし
太鼓橋
母の病気回復祈願をし、願いが叶った豊臣秀吉の寄進により造営された反り橋。「太閤橋」とも呼ばれる。橋は誰でも渡ってOK

じゅみょういし
寿命石
東廻廊のそばに据えられる大きな石が、僧・重源ゆかりの霊石。延命長寿を願って奉納された無数の白石も

おくしょいんていえん
奥書院・庭園
秀吉が寄進した1万石により、太閤橋とともに造られた。苔が美しい池泉鑑賞式庭園で、国の史跡・名勝に指定

門前名物&カフェ

多賀や（たがや）

平和と長寿を願う米粉餅をおみやげに

多賀大社の鳥居の目の前に立つ、門前名物・糸切餅の老舗。米粉100%のやわらかな餅となめらかなこし餡がベストマッチ。

☎0749-48-1430 住多賀町多賀601 ⏰8～17時 休無休 交近江鉄道多賀大社前駅から徒歩5分 P多賀大社駐車場利用 MAP 折込裏F3

糸切餅10個入り
800円

藝やcafe（げいやかふぇ）

古民家を再生したカフェでホッとひと息

川のほとりにたたずむ古民家を改装したカフェ。オリジナルブレンドのコーヒーと、自家製ケーキやピザトーストなどが揃う。

☎090-7759-2222 住多賀町多賀1199 ⏰11～18時 休木曜 交近江鉄道多賀大社前駅から徒歩3分 P5台 MAP 折込裏F3

アーティストが手がけた雑貨も販売している

多賀大社の門前名物、糸切り餅を作る店は現在3軒。それぞれ味が異なるので食べ比べてみるのも楽しいですよ。

近江八幡広域
0 500m
徒歩7分
近江八幡運動公園
琵琶湖
ヴォーリズ記念病院
西の湖
ラ コリーナ近江八幡 P.34
北之庄ラ コリーナ
天満宮
近江八幡 水郷めぐり乗り場 P.44
P.44 村雲御所 瑞龍寺門跡
八幡山
八幡山城跡
近江八幡市
順念寺
八王子神社
西照寺
豊年橋乗り場口
八幡山ロープウェー
叢林寺
順應寺
多賀
八幡公園
日牟禮八幡宮
ヴォーリズ学園前
近江兄弟社学園高
ハイド記念館 P.39
本福寺
地蔵尊
三輪明神
近江兄弟社小
白鳥川
玉木
正福寺
市立郷土資料館
願故寺
八幡中
下図
佛光寺別院
中国料理 沙羅 P.41
蓮光寺
大房
P.39 池田町洋風住宅街
小幡上筋
願通寺
円光寺
八幡小
八幡商高
手打ち蕎麦処 日牟禮庵 P.45
真成寺
P.40 近江牛処 ますざき
出町
黒橋
饒石神社
東海道本線
中村町
日尊神社
グリーンホテル Yes近江八幡 P.45
金田跨線橋北
アンデケン 近江八幡本店 P.45
近江八幡市役所
浄道寺
八幡工高
浄寶寺
桜宮町
生蓮寺
小船木町
近江八幡署
滋賀八幡病院
金剛寺町
金田小
P.40 ティファニー
市立総合医療センター
カネ吉山本
ホテルニューオウミ
西敬寺
桐原東小
近江鉄道八日市線
近江八幡駅
遍照寺
八幡高
草津へ
26
2
326
502
48

近江八幡中心部
0 50m
徒歩1分
八幡山ロープウェー P.44
左義長まつり P.124
円満寺
クラブハリエ日牟禮館 P.36
たねや 日牟禮乃舎 P.36
日牟禮八幡宮 P.36
琴平神社
たねや 日牟禮茶屋 P.43
クラブハリエ 日牟禮カフェ P.43
シキボウ八幡工場
近江八幡 日牟禮ヴィレッジ P.36・43
かわらミュージアム P.37
鍛冶屋町
近江兄弟社学園高
八幡堀めぐり乗り場 P.37
八幡川緑地
P.37 八幡堀
八幡堀八幡山ロープウェイ口
一柳記念館（ヴォーリズ記念館） P.38
白雲館 P.44
蓮照寺
新町
正福寺
Little Birds Hostel
麩惣製造所 P.62
近江兄弟社メンターム資料館 P.39
和た与 P.45
寶積寺
旧八幡郵便局 P.38
近江八幡まちや倶楽部 P.45
玉木
新町通りの町並み P.37
MACHIYA INN
旧西川家住宅 P.44
アンドリュース記念館 P.39
願故寺
市立資料館 P.44
Kolmio cafe P.43
小幡町資料館前
乃利松食品 吉井商店 P.45、62
小幡
山本医院

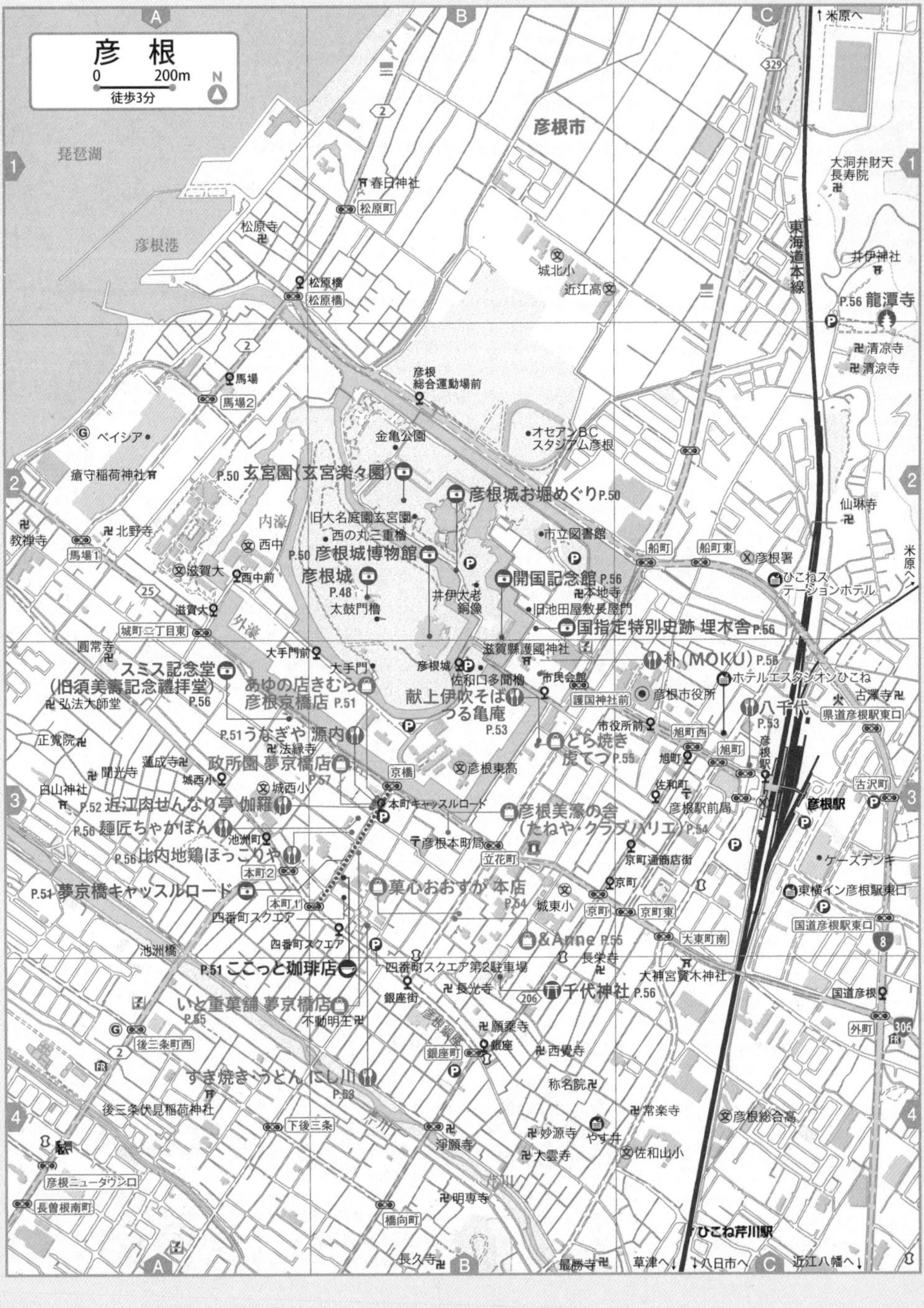

彦根
0
200m
徒歩3分
N
琵琶湖
彦根港
彦根市
春日神社
松原町
松原寺
松原橋
松原橋
城北小
近江高
東海道本線
↑米原へ
大洞弁財天
長寿院
井伊神社
P.56 龍潭寺
清凉寺
清凉寺
馬場
馬場2
彦根
総合運動場前
金亀公園
オセアンBC
スタジアム彦根
ベイシア
瘡守稲荷神社
P.50 玄宮園（玄宮楽々園）
彦根城お堀めぐり P.50
旧大名庭園玄宮園
西の丸三重櫓
内濠
西中
北野寺
教禅寺
馬場1
市立図書館
仙琳寺
船町
船町東
彦根署
米原へ
ひこねス
テーションホテル
滋賀大
西中前
P.50 彦根城博物館
彦根城
P.48
井伊大老
銅像
開国記念館 P.56
本地寺
旧池田屋敷長屋門
太鼓門櫓
滋賀大
城町二丁目東
外濠
国指定特別史跡 埋木舎 P.56
圓常寺
大手門前
大手門
彦根城
滋賀縣護國神社
朴（MOKU） P.56
スミス記念堂
（旧須美壽記念禮拝堂）
P.56
あゆの店きむら
彦根京橋店 P.51
佐和口多聞櫓
市民会館
ホテルエスタシオンひこね
古速寺
弘法大師堂
献上伊吹そば
つる亀庵
P.53
護国神社前
彦根市役所
八千代
P.53
県道彦根駅東口
正覚院
P.51 うなぎや 源内
法緑寺
市役所前
どら焼き
虎てつ P.55
旭町西
旭町
彦根駅
政所園 夢京橋店
蓮成寺
聞光寺
白山神社
城西小
城西小
P.57
京橋
彦根東高
旭町
佐和町
古沢町
P.52 近江肉せんなり亭 伽羅
本町キャッスルロード
彦根美濠の舎
（たねや・クラブハリエ）P.54
彦根駅前局
彦根駅
P.56 麺匠ちゃかぽん
池洲町
彦根本町局
京町通商店街
ケーズデンキ
P.56 比内地鶏ほっこりや
立花町
本町2
P.51 夢京橋キャッスルロード
菓心おおすが 本店
P.54
城東小
京町
東横イン彦根駅東口
本町1
四番町スクエア
京町
京町東
国道彦根駅東口
四番町スクエア
&Anne P.55
大東町南
池洲橋
長栄寺
P.51 ここっと珈琲店
四番町スクエア第2駐車場
大神宮賢木神社
長光寺
千代神社 P.56
銀座街
国道彦根
いと重菓舗 夢京橋店
P.55
不動明王
彦根銀座
外町
後三条町西
願乗寺
銀座町
銀座
西覚寺
すき焼き・うどん にし川
P.53
称名院
後三条伏見稲荷神社
常楽寺
彦根総合高
下後三条
妙源寺
やす井
浄願寺
大雲寺
佐和山小
彦根ニュータウン口
芹川
長曽根南町
明専寺
橋向町
ひこね芹川駅
長久寺
最勝寺
草津へ↓
↓八日市へ
近江八幡へ↓
A
B
C
1
2
3
4
2
25
2
206
8
306
329

ふむふむコラム fumu fumu

滋賀の旅でおさえておきたい 湖国近江の名物みやげ

"母なる湖" びわ湖の豊かな水と大地が育んできた伝統食の数々。
滋賀ならではのご当地みやげの超・定番をご紹介します。

滋賀の郷土食の代名詞

鮒寿し（ふなずし）

びわ湖でとれるニゴロブナを塩漬けにして炊いたご飯を重ね、自然のチカラで乳酸発酵させて作る伝統食。冷蔵庫などない時代、魚を保存するために考案された製法で、日本最古の寿司とされる。独特のにおいと味わい深さが印象的。

日本酒のベストパートナー

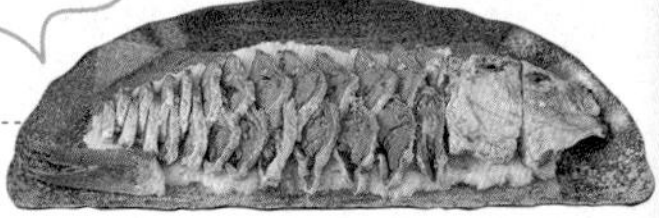

魚治（うおじ）

鮒寿し 本漬
簡易包装3240円～、箱入り5400円～

3カ月間塩漬けにし、2度の冬を越えて2年間熟成発酵。

☎0740-28-1011 住高島市マキノ町海津2304 ⏲9～18時 休火曜、第1・3水曜 交JRマキノ駅から徒歩25分 P5台 MAP折込裏D1

すき焼き、和え物のほか、アイスや餡をサンドしても美味

麩惣製造所（ふそうせいぞうしょ）

丁字ふ　16個入り291円

嘉永元年（1848）創業で、代々受け継ぐ丁字ふを製造販売

☎0748-32-2636 住近江八幡市博労町元23 ⏲9～17時※売り切れ次第終了 休日曜 交JR近江八幡駅から近江鉄道バスで7分、鍛治屋町下車、徒歩3分 P1台 MAPP60C4

近江八幡発、四角いお麩

丁字麩（ちょうじふ）

植物性タンパク質を豊富に含むお麩は、古くから精進料理に欠かせない食材として重宝されてきた。四角い形をしているのは、全国を渡り歩いて商いをする近江商人が持ち歩きやすいようにと考案されたという説が伝わる。

長年地域の安全に貢献

とび太くん

飛び出し注意！とドライバーに安全運転をうながす「飛び出し坊や」。昭和の頃から全国各地に存在するが、じつは滋賀県の東近江が発祥だとする説が有力。県内の道路はもちろん、観光名所でもその土地ならではのとび太くんに会える。

滋賀県立琵琶湖博物館（しがけんりつびわこはくぶつかん）

とび太くん ヨシノート
255円

館内のミュージアムショップで販売

DATA➡P95

ノート以外にも
バラエティに富む
とび太くんが

あの織田信長と縁がある!?

赤こんにゃく

こんにゃくの概念を覆すインパクト大の赤色は、唐辛子ではなく、三二酸化鉄という食品添加物によるもの。派手好きな織田信長がこんにゃくを赤く染めさせたとか、安土城下で行なわれる「左義長祭」で赤の長襦袢をまとって踊ったことに由来するなどの説がある。

乃利松食品 吉井商店（のりまつしょくひん よしいしょうてん）

味付け八幡こんにゃく
380円

天保7年（1836）創業の赤こんにゃくの老舗

DATA➡P45

味付きタイプはそのままおかずやおつまみに

レトロモダンにときめく 碁盤目状の長浜さんぽ

秀吉公が繁栄をもたらした城下町・長浜は
湖北の人気観光地で、見どころがたくさん。
ガラスアートや古い建物を生かしたカフェなど
ときめく瞬間がいっぱい詰まった町へ。

これしよう！

趣深い町並みでタイムトリップ

黒壁スクエア&北国街道周辺はグルメも充実。(☞P74)

これしよう！

眺望抜群！湖畔のランドマークへ

長浜城跡の豊公園と長浜城歴史博物館で歴史スポット巡り。(☞P72)

これしよう！

光に透かせばキラリガラス細工に見惚れる

黒壁ガラス館には国内外のガラス製品3万点が揃う。(☞P66)

長浜はココにあります！

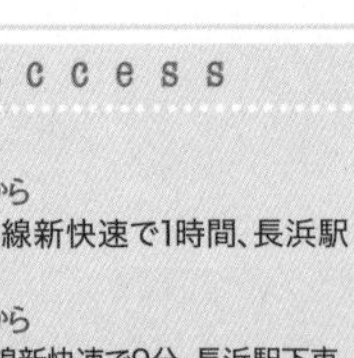

碁盤目状のノスタルジックな城下町

長浜

ながはま

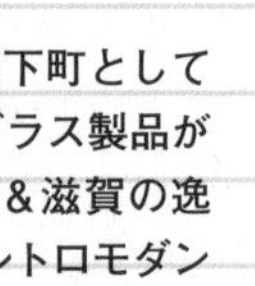

湖のスコーレのみそフロマージュ(☞P69)

こんなところ

秀吉公が築いた長浜城の城下町として発展したエリア。国内外のガラス製品が集まる黒壁ガラス館や長浜&滋賀の逸品が揃う黒壁AMISUなど、レトロモダンな町並みを生かした店舗が並ぶ「黒壁スクエア」が人気。発酵をテーマにした文化施設「湖のスコーレ」も話題！

access

【電車】

●大津駅から
・JR琵琶湖線新快速で1時間、長浜駅下車

●米原駅から
・JR琵琶湖線新快速で9分、長浜駅下車

【車】

●長浜ICから
・県道37号、国道8号、県道509号を約4㎞で長浜市街

広域MAP 折込裏F2

～長浜 はやわかりMAP～

観光のヒント

コンパクトな町に見どころが凝縮

JR長浜駅から東へ5分で黒壁スクエア、西へ5分で豊公園の長浜城跡へ。寺社、グルメ、おみやげなど観光スポットの宝庫なので、気ままに歩くのも楽しい。

アーケードで雨の日も快適

黒壁スクエア界隈はアーケード街が多いので、雨の日も安心。

駅から徒歩10分でここまで来られる

ヤンマーミュージアムには、足湯やビオトープも。(☞P78)

長浜

おすすめコースは

4時間

黒壁スクエアで繊細なガラスアートを楽しんだら、ノスタルジーをくすぐる町並みを散策しよう。JR長浜駅の西側（びわ湖側）、長浜城跡の緑豊かな豊公園にも足をのばしてみて。

スタート JR長浜駅 ▶ 徒歩5分 ▶ 1 買い物 黒壁スクエア ▶ 徒歩5分 ▶ 2 買い物 うらくろ通り ▶ 徒歩すぐ ▶ 3 レストラン BIWA COLLAGE ▶ 徒歩10分 ▶ 4 神社 長濱八幡宮 ▶ 徒歩20分 ▶ 5 見学 豊公園（長浜城跡） 長浜城歴史博物館 ▶ 徒歩5分 ▶ ゴール JR長浜駅

レトロな雰囲気の黒壁スクエアでガラスの魅力に触れる

明治・大正期の建物を生かしたお店が並ぶ「黒壁スクエア」。
雑貨店やアトリエ、ガラス製品を扱う店でお気に入りを見つけましょう。

▲シックな色調が目を引く外観

▲吹き抜けの空間には銀行時代の趣が残る

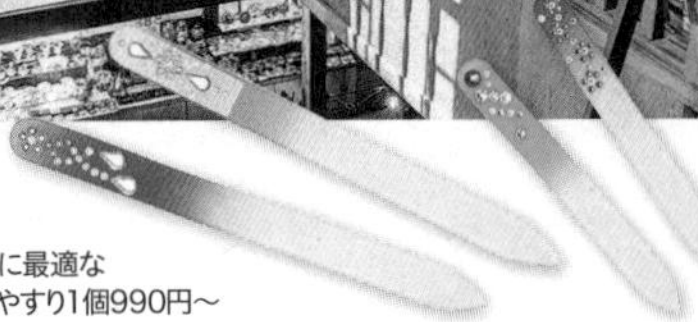

▶おみやげに最適なガラスの爪やすり1個990円〜

◀長浜めぐりグラス（左：盆梅、右：むびょうたん）1540円

くろかべがらすかん 黒壁ガラス館

黒壁スクエアのシンボル ガラスアートの殿堂

明治33年（1900）に銀行として建てられた木造の洋館を、当時の趣を生かしてリノベーション。壁が黒漆喰であったことからこの名に。国内外の美しいガラスやオルゴールの世界が広がる。

☎0749-65-2330（代）住長浜市元浜町12-38 ⏰10〜17時 休無休 交JR長浜駅から徒歩5分 Pなし MAP P84A4

くろかべあみす 黒壁AMISU

滋賀の逸品が揃うセレクトショップ

滋賀や長浜の「ホンモノ」を厳選。近江米や朝宮茶、湖魚や近江牛の加工品、地酒、信楽焼など滋賀県下の銘品が揃う。

☎0749-65-2330（代）住長浜市元浜町8-16 ⏰10〜17時 休火曜 交JR長浜駅から徒歩5分 Pなし MAP P84A4

▼長浜特産・浜ちりめんを使ったカードケース4180円（上）、がま口3575円（下）

▲木のぬくもりが感じられる広々とした店内

◀AMISUとは「見立て」を意味するオリジナルの言葉

◀滋賀県産羽二重餅を使った滋賀あられ各475円

◀吹きガラスやカットガラスの制作など約10種の体験を用意

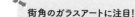

街角のガラスアートに注目!

黒壁ガラス館の隣にはガラスの噴水やベンチがあり、晴れた日にはキラキラ輝いて美しい。通りにはガラス板の案内表示もあるのでチェックしてみよう。

ガラス張りの建物は光を受けてキラキラ輝き、目を引く存在▼

がらすたいけんあとりえ るでぃーく

ガラス体験アトリエルディーク

世界にひとつだけの作品を多彩なガラスの制作体験

“あそび心のある”という意味を持つ店名の通り、いろんなガラス素材と技で、ものづくりの楽しさを届けるガラスのアトリエ。心ときめく時間とあそび心をカタチにするお手伝いをしてくれる。

☎0749-65-1221 住長浜市元浜町12-38 ⏰時間は制作体験により異なる(詳細は公式Webサイトを要確認) 休火曜 交JR長浜駅から徒歩5分 Pなし MAP P84A4

吹きガラス制作体験 4950円

溶けたガラスを巻き取り、息を吹き込んで作品を作る体験は、ガラス工芸の手応えが楽しめる。コップや一輪挿しなどから好きなものを作れる。

▼職人さんがそばについてくれるので初心者でも安心

カットグラス体験 2750円～

ガラスを回転している金属や石の刃に押し当て、さまざまなカット模様を彫刻。グラスやボウル、小皿など、制作アイテムによって料金が異なる。

▼シャープで美しいカットグラスが気軽に楽しめる

フュージング制作体験 2750円～

好きな色のガラスパーツを板ガラスの上に配置し、窯の中に入れて高温で溶かし合わせるフュージング。お皿やアクセサリーなどから選べる。

◀パーツの組み合わせ次第で自分だけの作品に

▲素地を選び、ガラスを削る練習をしてから本番へ!

オリジナルのグラスやジュエリーを揃えるガラスショップ「écrin」(☞P79)もあります。

風情あるお店が立ち並ぶ うらくろ通りの周辺さんぽ

瓦屋根や白壁が特徴の町家が軒を連ねる「うらくろ通り」。
長浜でも指折りの絵になるストリートを散策。

▲小物類も充実している

▲3way丸リュック
7590円

▲リュック・ショルダー・手提げの3way

▲長浜うらくろ通りの東端

kokochi
ここち

おしゃれが集うセレクトショップ

古民家を改装したセレクトショップ。遊び心が光るデザインのアイテムが揃う。 ☎0749-64-3344 住長浜市元浜町19-23 ⏲10～18時 休火曜 交JR長浜駅から徒歩10分 P3台 MAP P84B3

大通寺
だいつうじ

湖畔の長浜城跡に慶長7年（1602）創建され、後に現在地に移転。境内に伏見桃山城の遺構が残る。

長浜うらくろ通り
ながはまうらくろどおり

大通寺の南側を東西に走る商店街。黒壁の裏手にあるため通称「うらくろ」。 MAP P84B3

重厚な白壁の建物は趣がある▼

蘭亭
らんてい

愛され続ける ふわとろオムライス

オムライスが人気の洋食店。定番のシンプルなオムライスや、近江牛100%のハンバーグをのせたオムライスなど多彩な洋食が揃う。 ☎0749-65-4170 住長浜市元浜町14-19 ⏲11時～売り切れ次第終了 休不定休 交JR長浜駅から徒歩10分 Pなし MAP P84B3

まちやの宿 いろは
まちやのやど いろは

町家宿で 暮らすように過ごす

町家の良さを残しつつモダンに改装した一棟貸しのほか、ホテルタイプの部屋も備える。 ☎0749-53-3321 住長浜市元浜町14-21 ¥1棟貸し1名8500円～、ホテルタイプ1室1万4000円～ ⏲IN15時/OUT11時 交JR長浜駅から徒歩8分 P9台 MAP P84B3

2階部分はあたたかみのある雰囲気▶

◀1棟貸タイプ「彩」の1階

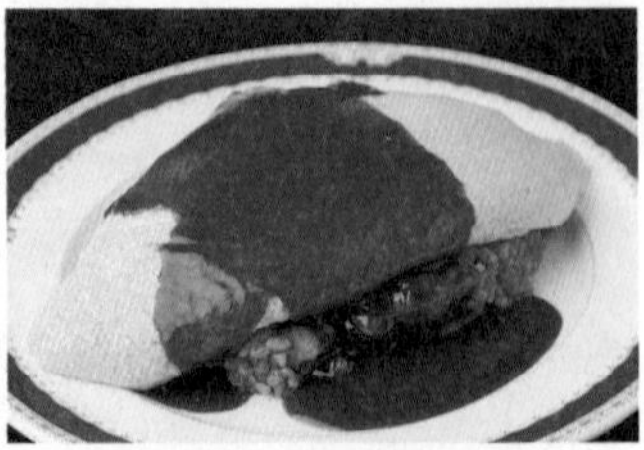
オムライスデミグラスソース1100円▶

注目の文化施設「湖のスコーレ」で暮らしの知恵と発酵にふれる

滋賀に受け継がれる「発酵」をテーマにした話題のスポット。
ランチやカフェ、お買い物など、楽しみがいっぱい！

うみのすこーれ
湖のスコーレ

ショッピングから学びの体験まで！

鮒ずしをはじめ、日本酒や味噌など発酵食の文化を育んできた滋賀に伝わる暮らしの知恵を学べる商業文化施設。メイドイン滋賀のアイテムが並ぶストアのほか、喫茶室、醸造所、チーズ製造室、体験教室、ギャラリーなどからなる。 ☎0749-53-3401 住長浜市元浜町13-29 1階 ◷11～18時（喫茶室は～17時）休火曜 Pなし MAP P84B4

Point 1 ストア

200坪の店内にセレクトされたうつわや食材などがずらり。滋賀ならではのアイテムも充実。

▲無添加「モグサバーム」2200円とよもぎ石鹸660円

▲高島の和ろうそく大與の「米ぬかろうそくまめ」10本1320円

麗山湯1210円など老舗薬品メーカーが作る入浴剤▼

Point 2 醸造所&製造室

甘酒やどぶろくを製造するハッピー太郎醸造所と、滋賀県の牧場の生乳を使ってチーズを作るチーズ製造室。どちらも商品の購入が可能。

▼米糀造りを行う様子をガラス越しに見学できる

◀ハッピーどぶろく各1760円などラベルもかわいい

▼作られるチーズは湖のスコーレオリジナル

白味噌をまとわせたみそフロマージュ1210円▶

Point 3 体験

メインフロアの奥にはキッチン付きの体験教室があり、多彩なワークショップが行われる。

▲体験教室の詳細は公式サイトをチェック

◀味噌づくりを学べる教室など実に多彩

Point 4 喫茶室

買い物途中にほっとひと息。館内で醸造したどぶろくや甘酒、チーズなどがメニューに活用されている。

つぶつぶ米糀チーズケーキ580円、ハッピー甘酒いちごスムージー1000円▼

文化棟には、素敵な本が自由に閲覧できる図書印刷室やギャラリーもありますよ。

黒壁スクエアで見つける おしゃれカフェでスイーツタイム

長い時を紡いできたぬくもりある古民家を生かしたカフェや甘味処、ナチュラルテイストのカフェなど、黒壁スクエアで人気のお店でひと休憩を。

時を経た建物と窓辺から差し込む光が美しい陰影を描く

花一日
660円〜
ふわふわ&
もっちり生地のどら焼き

もちふわどら焼き
〈大人のモンブラン〉
935円
和&洋のマリアージュ

かふぇかのう しょうじゅあん
ながはまくろかべてん

カフェ叶 匠壽庵 長浜黒壁店

庭や蔵が残るレトロ空間で 名店の特製スイーツ

近江発祥の和菓子店・叶匠壽庵のカフェ。築100年を超える古民家を、庭や蔵を生かして再生した店内は、時間の流れもゆったりと感じられる。季節を感じられる和菓子を多彩に揃えるほか、限定スイーツも好評。

☎0749-65-0177 住長浜市元浜町13-21 ⏰9時〜16時30分LO 休水曜 交JR長浜駅から徒歩9分 Pなし MAP P84B3

店内では和菓子も販売。おみやげにもぴったり

抹茶パフェ
935円
自慢の餡がたっぷり

ふるーつ かふぇ しぜんどう
Fruits cafe しぜん堂

地元の農家が手がける
新鮮フルーツ

イチゴ農家が手がけるカフェ。滋賀県産のフレッシュなフルーツを使ったジュースやパフェ、カップショートケーキなど多彩なメニューが揃う。12～6月はヨモギやドクダミなどのハーブを使って栽培したイチゴも販売。

☎080-3856-7177 住長浜市元浜町11-31 ⏰11～17時 休火曜 交JR長浜駅から徒歩5分 Pなし MAP P84A4

ナチュラルテイストの店内になごむ

キウイシェイク
960円
フレッシュなキウイを使用

季節のフルーツパフェ
990円
旬のフルーツが6種前後入ったパフェ

意外な場所に夜カフェが

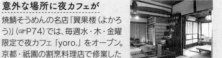

焼鯖そうめんの名店「翼果楼（よかろう）」（☞P74）では、毎週水・木・金曜限定で夜カフェ「yoro.」をオープン。京都・祇園の割烹料理店で修業した店主が作る本格スイーツが味わえる。

くろかふぇ
96CAFÉ

黒壁にちなんだ
真っ黒ソフトクリーム

滋賀の食材を盛り込んだランチやスイーツなどが気軽に楽しめるカフェ。明るい光が差し込む古民家調の店内で黒壁スクエアの「黒」をイメージした黒壁ソフトやコーヒーを。テイクアウトもOK。

☎0749-65-4844 住長浜市元浜町11-28 ⏰10時30分～17時※閉店30分前LO 休水曜 交JR長浜駅から徒歩5分 Pなし MAP P84A4

天井が高く、開放感のある店内

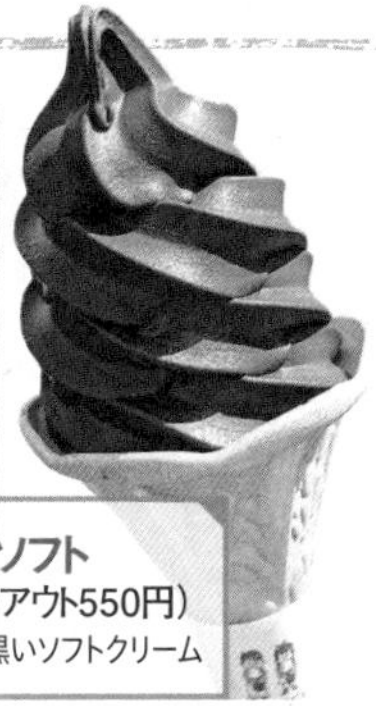

黒壁ソフト
580円（テイクアウト550円）
チョコレート味の黒いソフトクリーム

ぶんぷくちゃや
分福茶屋

築160年の旧家を改装
和のおやつでほっこり

明治時代に生糸卸だったという築160年の旧家をリノベーション。銅板でこんがりと焼く名物のぶんぷく餅は、冷めてもやわらかいので食べ歩きにもぴったり。あんみつ850円などの甘味やコーヒーも提供。

☎0749-62-0243 住長浜市元浜町7-13 ⏰10～17時 休火曜（祝日の場合は営業） 交JR長浜駅から徒歩5分 Pなし MAP P84B4

風情のある店内ではお餅を焼く様子も見られる

ぶんぷく餅
2個200円
つぶ餡とごま餡の2種

黒壁スクエアには、ガラスに縁のあるクローバーが植えられています。四葉を見つけると、黒壁ガラス館で記念品がもらえるそう。

天下統一まで上り詰めた戦国武将 秀吉ゆかりの歴史スポット巡り

歩いて回って約3時間

織田信長に仕えていた羽柴（豊臣）秀吉が築いた長浜城。
秀吉が初めて新築の城を得た"出世城"跡とゆかりのスポットへ。

スタート！

湖北を魅了する8つの景観「湖北八景」の一つに選ばれている

① ながはまじょうれきしはくぶつかん 長浜城歴史博物館

市街地やびわ湖を一望 長浜のシンボル

羽柴（豊臣）秀吉が築いた城郭を再興。内部は歴史博物館となっており、湖北・長浜に関する歴史文化や、秀吉と長浜について紹介している。最上階の天守展望台からは琵琶湖を一望できる。

☎0749-63-4611 住長浜市公園町10-10 ¥入館410円 ◷9～17時（入館は～16時30分）休月曜（祝日の場合翌平日、臨時休館あり）交JR長浜駅から徒歩7分 P豊公園駐車場利用446台 MAP P84A2

最上層の展望台からはびわ湖や湖北の景色が楽しめる

徒歩すぐ（園内）

② ほうこうえん（ながはまじょうあと） 豊公園（長浜城跡）

緑豊かな城跡公園でのんびり散歩

廃城となった長浜城跡に明治42年（1909）に造られた公園。太閤井戸など秀吉の遺構が見られる。桜や新緑、紅葉、雪景色など四季折々の彩りを楽しもう。

☎0749-62-0241（豊公園管理事務所）住長浜市公園町 ¥◷休園内自由 交JR長浜駅から徒歩5分 P豊公園駐車場利用446台 MAP P84A2

公園内に秀吉公の像が立つ

「日本さくら名所100選」の一つで、4月には約500本の桜が咲き誇る

徒歩10分

③ ほうこくじんじゃ 豊国神社

秀吉公にあやかって出世開運を祈願

秀吉公の没後に長浜町民がその遺徳を偲んで建立。秀吉公とともに恵比須様が祀られ、1月の「十日戎」、10月の「豊公まつり」の際には、商売繁盛や出世を願う人で賑わう。

☎0749-50-4796 住長浜市南呉服町6-37 ¥◷休境内自由 交JR長浜駅から徒歩2分 P10台 MAP P84B1

境内には長浜城主になった若い頃の甲冑姿の秀吉公坐像がある

徒歩20分

④ 大通寺（だいつうじ）

長浜城の追手門が残る東本願寺の別院

慶長7年（1602）長浜城跡に創建され、後に現在地に移転。東本願寺の別院で、長浜御坊の名で親しまれている。本堂や大広間は伏見桃山城の遺構と伝わる。

☎0749-62-0054 住長浜市元浜町32-9 ¥拝観500円 ⏰10～16時 休12月29日～1月4日※冬季拝観休業あり。詳細は要問合せ 交JR長浜駅から徒歩10分 Pなし MAP P84B3

1 建物の多くが国の重要文化財などに指定 2 狩野派や円山応挙が描いた障壁画を所蔵する

秀吉が再興した牡丹の花が有名な寺

奈良時代、僧・行基により開かれた総持寺（→P125）。滋賀県随一の牡丹の名所であり、商売・良縁のご利益でも信仰されている。

徒歩8分

⑤ 長濱八幡宮（ながはまはちまんぐう）

秀吉が再興した長浜の氏神様

平安時代後期の創建以来、長浜の守護神として信仰されてきた古社。戦国時代に社殿のほとんどを焼失したが、秀吉の保護で再建された。

☎0749-62-0481 住長浜市宮前町13-55 ¥⏰休境内自由 交JR長浜駅から徒歩15分 P50台 MAP P84C1

1 秀吉が造ったとされる池には、弁財天を祭る都久夫須麻神社が鎮座 2 神社が執り行う長浜曳山まつりは、秀吉が男児誕生を祝ったのが起源と伝わる

徒歩2分

⑥ 舎那院（しゃないん） ゴール！

秀吉ゆかりの仏様に会える寺

弘法大師空海が開いた古刹。本尊の秘仏愛染明王と阿弥陀如来坐像は、国の重要文化財に指定されている。神仏習合の姿を残す本堂や、室町時代に建てられた護摩堂など建築も見どころ。

☎090-7721-5383 住長浜市宮前町13-45 ¥境内自由 ⏰季節により異なる 休無休 交JR長浜駅から徒歩15分 P長濱八幡宮の駐車場を利用 MAP P84C1

1 境内は四季を通じて美しく、心を鎮めてくれる 2 紅葉の季節はまた圧巻

カジュアルランチで楽しむ近江野菜や郷土料理

長浜で散策を満喫した後は、お楽しみのランチタイム。
滋賀の食材を使った料理が魅力の、味わい豊かなお店をご紹介。

江戸時代の建物で地元食材の創作料理

洋食

びわこれすとらん ろく

びわこレストラン ROKU

江戸時代末期の建物を再生した洋食店で、黒漆喰の店が立ち並ぶ中、赤い壁が印象的。近江牛をはじめ、近江野菜や近江地鶏など地元産の食材を使った料理が堪能できるほか、季節替わりのスイーツや、豊富な地酒もスタンバイ。

☎0749-62-6364 住長浜市元浜町11-23 営11～15時(14時LO)、18～22時(20時LO) 休水曜、不定休あり 交JR長浜駅から徒歩5分 Pなし MAP P84A3

近江牛ランチコース
4280円

やわらかな肉質の近江牛のメインに、前菜、スープ、デザートなど6品が付くランチコース

店の奥には個室として使える蔵も立つ

内装の壁も赤が基調で、インテリアもおしゃれ

郷土料理

よかろう

翼果楼

店主が集めたアンティーク家具と調和

築約200年の元呉服問屋の建物を生かした趣深い店内で、長浜の郷土料理・焼鯖そうめんや焼鯖寿しが楽しめる。やわらかく煮込んだ鯖と煮汁が染み込んだそうめんは相性抜群。

☎0749-63-3663 住長浜市元浜町7-8 営10時30分～15時頃(売り切れ次第終了) 休月曜(祝日の場合は翌日) 交JR長浜駅から徒歩5分 Pなし MAP P84A4

湖北の名物料理をノスタルジックな店内で

お千代膳(焼鯖寿司付き)
2300円

焼いてから特製のタレでじっくり煮込んだサバは、余分な脂がなく旨みが凝縮。単品990円もある

やわらかで
ジューシーな
近江牛ステーキ重

彦根に本店をもつ近江牛専門店・千成亭。その長浜店「せんなり亭近江肉 橙」では、未経産雌牛のイチボのステーキがのったボリューミーなステーキ重3900円 を。 ☎0749-62-0329 MAP P84A4

町家と蔵を再生
評判のイタリアン

パスタセット
2800円

野菜の前菜、選べるパスタ、ドルチェと食後のドリンクがセットになったランチ限定メニュー

賑やかな商店街の一角に立つ。築100年以上の町家を改装

イタリアン

びわ こらーじゅ

BIWA COLLAGE

大阪や京都で活躍した市山シェフのイタリアンレストラン。生産者から届く最高の食材と、シェフの卓越した技で作り上げる料理が評判。手軽なランチセットから、フォーマルディナーまで幅広く利用できる。

☎0749-53-2831 住長浜市元浜町13-16 🕒11時30分～14時30分（14時LO）、18～22時（21時30分LO）休火曜、第3水曜 交JR長浜駅から徒歩7分 Pなし MAP P84B3

3つの個室やカウンター席など町家の構造を生かした空間

カフェ

じらそーれ

じらそーれ

和風の町家とおしゃれなインテリアが調和したカフェ。サイフォンやフレンチプレスで一杯ずつ丁寧に淹れるコーヒーや紅茶に、焼きたてのパンや菓子がよく合うと人気。軽食はランチにもぴったり。

☎0749-63-7533 住長浜市元浜町14-25 🕒10～17時 休月曜（祝日の場合は翌日）交JR長浜駅から徒歩11分 Pなし MAP P84B3

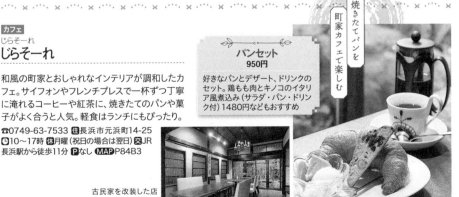

古民家を改装した店内はモダンな雰囲気。坪庭の眺めもステキ

パンセット
950円

好きなパンとデザート、ドリンクのセット。鶏もも肉とキノコのイタリア風煮込み（サラダ・パン・ドリンク付）1480円などもおすすめ

焼きたてパンを
町家カフェで楽しむ

長浜エリアで気軽なランチ処を探すなら、駅前通りか黒壁スクエア界隈を歩いてみましょう。

評判の美食の宿で
レイクビューを傍らに極上の寛ぎ時間

街の喧騒から逃れて静かに過ごせる非日常感たっぷりのロケーション。
湖国ならではの発酵料理や湖魚料理も味わえる上質なお宿をご紹介します。

お昼のコース
2万2000円～
コースの内容はすべておまかせ。発酵食を中心にスペシャリテの鮒鮓のほか、冬は熊鍋も。

とくやまずし
徳山鮓
余呉湖を一望、和のオーベルジュ

天女の羽衣伝説が残る神秘の湖・余呉湖の畔にたたずむオーベルジュ。熟れ寿司をはじめとした発酵食とジビエに特化した料理が評判で、半年先まで予約で埋まるほど。他では味わえない料理を求め、全国から食通や料理人も訪れる。

☎0749-86-4045 住長浜市余呉町川並1408 ⏱IN15時30分／OUT10時 休不定休 交JR余呉駅から車で5分 交5台 MAP折込裏E1

1泊2食付き料金
（2名以上）
平日・休前日4万4000円～

1

2

3

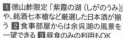

1 徳山鮓限定「紫霞の湖（しがのうみ）」や、銘酒七本槍など厳選した日本酒が揃う 2 食事部屋からは余呉湖の風景を一望できる 3 昼食のみの利用もOK

ろてる・でゅ・らく
ロテル・デュ・ラク

静けさに包まれた
湖畔のリゾートホテル

手つかずの自然が残る奥琵琶湖に静かにたたずむオーベルジュ。地域の食を再解釈し、わざわざここに来なければ食べられない料理を提供。自然豊かな環境の中、非日常の癒しを満喫できるリゾートだ。

☎0749-89-1888 住長浜市西浅井町大浦2064 ⓁIN15時／OUT11時 交JR永原駅から車で5分（送迎あり、要予約）P40台 MAP折込裏D1

1 夕食は地域と旬にこだわり、発酵や熟成の技法を生かした料理。ドリンクペアリングも秀逸 2 敷地内には絶景、癒しのスポットが点在 3 カウンターがメインのレストランはライブ感のある楽しい空間が広がる

1泊2食付き料金
4万700円～
※ディナーのみ
2万2000円

りょかん べにあゆ
旅館 紅鮎

奥びわ湖の眺望と美人の湯
心ほどける温泉宿

昭和33年（1958）に開業した、湖畔の一軒宿。奥びわ湖の景色が望める露天風呂や、竹生島を望むテラスの足湯などが評判。露天風呂には「美人の湯」として知られる尾上温泉の源泉を引いている。

☎0749-79-0315 住長浜市湖北町尾上312 ⓁIN14時／OUT11時 交JR高月駅から車で10分（送迎あり、要予約）P20台 MAP折込裏E1

1 全客室に趣の異なる専用露天風呂がある 2 竹生島を望む爽快なレイクビュー 3 6～8月はびわ湖の新鮮な鮎を味わえる、名物鮎会席がおすすめ

1泊2食付き料金
平日2万7650円～
休前日3万950円～

ココにも行きたい

長浜周辺のおすすめスポット

慶雲館（けいうんかん）

伊藤博文が命名した迎賓館

長浜の豪商・浅見又蔵が明治天皇の行幸に合わせて建てた、約2000坪の迎賓館。庭園は作庭家7代目小川治兵衛によるもの。歴史・規模ともに日本一の長浜盆梅展が開かれることでも有名。

DATA☎0749-62-0740 住長浜市港町2-5 ¥入館300円（企画展開催時除く） ⏲9時30分～17時（最終入館16時30分） 休12月上旬～1月上旬 交JR長浜駅から徒歩3分 Pなし MAP P84B2

長浜鉄道スクエア（ながはまてつどうすくえあ）

現存する一番古い駅舎

明治15年（1882）に建てられた旧長浜駅舎を含む鉄道の博物館。瀟洒な洋風建築で、窓枠には当時では珍しい赤レンガを使用している。旧駅舎構内の様子がわかるジオラマや、D51などを展示。

DATA☎0749-63-4091 住長浜市北船町1-41 ¥入館300円 ⏲9時30分～17時（最終入館16時30分） 休12月29日～1月3日 交JR長浜駅から徒歩3分 Pなし MAP P84B2

海洋堂フィギュアミュージアム黒壁 龍遊館（かいようどうふぃぎゅあみゅーじあむくろかべ りゅうゆうかん）

大人も魅了するフィギュアの世界

世界的フィギュアメーカー・海洋堂による、食玩シリーズやカプセルトイなどのフィギュアを展示。等身大のアニメキャラや巨大な恐竜など、圧巻のラインナップ。

DATA☎0749-68-1680 住長浜市元浜町13-31 ¥入館1000円 ⏲10～17時 休不定休 交JR長浜駅から徒歩5分 Pなし MAP P84B3

成田美術館（なりたびじゅつかん）

アール・デコのガラスアートを鑑賞

北国街道沿いの美術館。アール・デコスタイルのガラス工芸作家の巨匠として知られるルネ・ラリックの作品を展示。巧みなライティングが作品の魅力を最大限に引き立てている。

DATA☎0749-65-0234 住長浜市朝日町34-24 ¥入館800円 ⏲10時30分～16時 休月曜（祝日の場合は翌日）臨時休館あり。要問合せ 交JR長浜駅から徒歩10分 P4台 MAP P84B2

曳山博物館（ひきやまはくぶつかん）

長浜曳山まつりの曳山を見学

豊臣秀吉が長浜城主だった安土桃山時代から始まったと伝わる長浜曳山まつりは、長濱八幡宮の春季大祭。まつりの魅力を発信するこちらの博物館では、各種資料を展示している。絢爛豪華な本物の曳山が最大の見どころ。

DATA☎0749-65-3300 住長浜市元浜町14-8 ¥入館600円 ⏲9～17時（最終入館は16時30分） 休月曜（祝日の場合は翌平日） 交JR長浜駅から徒歩7分 Pなし MAP P84B4

ヤンマーミュージアム（やんまーみゅーじあむ）

体験型ミュージアムでチャレンジ

農業や建設機械、小型船舶などを製造販売する「ヤンマー」による体験型ミュージアム。パワーショベルやプレジャーボートの操縦体験など、楽しみながら学べる。屋上のビオトープや足湯のほか、レストランもある。

DATA☎0749-62-8887 住長浜市三和町6-50 ¥入館900円 ⏲10時～17時30分 休月曜（祝日の場合は翌日） 交北陸自動車道長浜ICから車で10分 P44台 MAP P84B2

鳥喜多本店（とりきたほんてん）

並んででも食べたい絶品親子丼

創業約90年の老舗で、平日でも行列ができるほどの人気。看板メニューは、4時間かけてとるだしで煮たやわらかな鶏肉を玉子でふんわりとじた親子丼750円。半熟の玉子とじの上に生の黄身がのってリッチな味わい。

DATA☎0749-62-1964 住長浜市元浜町8-26 ⏲11時30分～14時（土・日曜、祝日は時間短縮あり） 休火曜 交JR長浜駅から徒歩3分 Pなし MAP P84A4

おにくや食堂Suehiro（おにくやしょくどうすえひろ）

精肉店直営のレストラン

黒壁スクエア内にあるレストランで、近江牛を贅沢に使ったメニューがリーズナブルに楽しめる。部位ごとの特性を生かした料理が好評。人気の近江牛丼ランチ1500円は、注文ごとに仕上げるため、しっとりジューシーなおいしさ。

☎0749-62-0472 住長浜市元浜町6-22 ⏲11時30分～14時30分（売り切れ次第終了） 休日曜 交JR長浜駅から徒歩13分 Pなし MAP P84B4

長濱浪漫ビール（ながはまろまんびーる）

ご当地クラフトビールで乾杯

クラフトビール工場に併設。近江牛など郷土の食材を使った多彩な料理とフレッシュな生ビールを楽しめるレストラン。生ビール715円（スリムグラス290㎖）、季節限定ビールも充実。

DATA☎0749-63-4300 住長浜市朝日町14-1 ⏲11時30分～15時、17～21時（土・日曜、祝日、連休最終日は11時30分～21時）※変動の場合あり。要問合せ 休火曜 交JR長浜駅から徒歩5分 P5台 MAP P84B2

キテハ食堂（きてはしょくどう）

趣深い古民家の空間でほっこり

築150年の古民家を再生した食堂兼カフェ。自家栽培した季節の野菜や自家製味噌を使ったランチをはじめ、チーズケーキやロールケーキなどのスイーツも味わえる。2種から選択できるメインに、小鉢2品などが付くキテハプレート1100円。DATA ☎0749-50-6647 住長浜市高畑町298 ⏰11時～14時30分（14時LO） 休日・月曜 交北陸自動車道小谷城スマートICから約5km P15台 MAP折込裏F1

千茂登（ちもと）

築100年の日本家屋で鴨料理

創業80年を超える料亭で、名物は寒い時期に提供される鴨すき。シンプルなだしがベースで、野菜はネギとセリのみ。鴨本来の旨みを堪能できる。天然真鴨の中で最も美味とされる「青くび」の鴨を使った天然鴨すき1万1000円。DATA ☎0749-62-6060 住長浜市朝日町3-1 ⏰11時30分～14時、17～22時 休月曜（祝日の場合は翌日） 交JR長浜駅から徒歩3分 P4台 MAP P84B4

北ビワコホテル グラツィエ（きたびわこほてる ぐらつぃえ）

湖畔のホテルで昼下がりのひととき

北イタリアのヴェローナをイメージ。クラシカルな雰囲気と、爽快なレイクビューが魅力。レストランは和食やイタリアンなど、バリエーション豊かなメニューが揃う。専用のサロンでいただけるアフタヌーンティー3500円（予約制）もおすすめ。DATA ☎0749-62-7777 住長浜市港町4-17 ¥1泊2食付1万9200円～ ⏰IN15時／OUT11時 休無休 交JR長浜駅から徒歩10分 P100台 MAP P84A2

écrin（えくらん）

オリジナルのグラス&ジュエリー

「大切な人への贈り物や生活の彩りを見つけてほしい」という思いが込められたガラスショップ。仏語で宝石箱を意味する店には、心を豊かにする美しい作品が揃う。ガラスの透明感、やさしい色合いのグラスジュエリー「しゃぼん」シリーズが人気。ピアス3530円～。☎0749-65-2330(代) 住長浜市元浜町7-11 ⏰10～17時 休無休 交JR長浜駅から徒歩5分 P MAP P84A4

Orange plus（おらんじゅ ぷりゅす）

素材の魅力が光るキュートなおやつ

ロールケーキのコンテストで優勝に輝いたこともある、クラブハリエ出身のシェフによる洋菓子店。ショーケースには、旬のフルーツや地元の素材を使った彩り鮮やかなスイーツが並ぶ。オムレットは380円～。季節限定メニューも登場。DATA ☎0749-59-3500 住長浜市勝町552-1 ⏰11～18時 休水・木曜、不定休 交JR長浜駅から車で9分 P5台 MAP折込裏F2

油甚本店（あぶらじんほんてん）

壺に入った油を量り売り

明治36年（1903）創業の油専門店。香り豊かなゴマ油やツバキ油、菜種油などを販売。壺に入った油を量り売りで好きな量だけ購入できるという昔懐かしい販売スタイルも魅力。純正胡麻油300㎖ 700円や、ヘアオイルとしても使える伊豆七島産椿油108㎖1200円など。DATA ☎0749-62-0435 住長浜市元浜町14-14 ⏰9～17時 休不定休 交JR長浜駅から徒歩8分 Pなし MAP P84B3

ひと足のばして 梅花藻が咲く名水の町へ

江戸時代、宿場として栄えた醒井は清らかな水が湧く名水の町。可憐な水中花を愛でましょう。

中山道 醒井宿（なかせんどう さめがいしゅく）

清流沿いをそぞろ歩き

昔ながらの町並みが残る醒井の中心の街道沿いに流れる地蔵川は必見。梅花藻が白い花を咲かせる夏がいちおし。DATA ☎0749-51-9082（一般社団法人びわ湖の素DMO） 住米原市醒井 ¥⏰休散策自由 交JR長浜駅からJR米原駅乗り換えでJR醒ケ井駅下車、徒歩5分 Pなし MAP折込裏F2

梅花藻（ばいかも）って？

清流でしか生育しないといわれる、梅の花に似た水中花。5月下旬から咲き始め、7月下旬～8月下旬に見頃を迎える。水から顔を出すように白い小さな花を咲かせる姿が、醒井を訪れる人々を魅了している。

周辺には醒井宿資料館や西行法師ゆかりの西行水などの名所もある

醒井宿の地蔵川沿いには昔ながらの食事処や名水で作る和菓子の店などが並び、旅情をくすぐります。

びわ湖に浮かぶパワースポット 竹生島でご利益を願う

琵琶湖八景の一つに名を連ね、「神の棲む島」として信仰を集めてきた竹生島。
長浜港から約30分の船旅で、心身を浄化する神秘の島へ。

琵琶湖八景の一つに数えられる竹生島は、平家物語にも綴られる

知っておきたい

竹生島ってどんな島？

びわ湖に浮かぶ周囲約2㎞の小さな島で、日本三弁才天の大弁才天を祭る地として千年を超える歴史を紡ぐ。明治時代の神仏分離令により現在の宝厳寺と都久夫須麻神社に分かれた。豊臣秀吉とゆかりが深く、桃山時代を代表する建築物が現存。西国三十三所観音霊場の第三十番札所でもある。MAP折込裏E2

島へのアクセス

竹生島へは長浜港、今津港、彦根港から連絡船で。各港の船運航データは琵琶湖汽船、オーミマリンHPを参照。

☎0749-53-2650（長浜観光協会）住長浜市早崎町竹生島 ¥入島料600円（乗船料別途）時連絡船発着時に準じる 休無休 交長浜港から連絡船で約35分、彦根港から約40分、今津港から約25分、竹生島港下船 P各港に無料駐車場あり（島への乗入れ不可）

宝厳寺（ほうごんじ）

いにしえの観音霊場で 弁天様に願いを託す

徒歩すぐ

西国三十三所観音霊場の第三十番札所で、聖武天皇の勅命により神亀元年（724）行基が開山。日本三弁才天の一つを安置する本堂や国宝の唐門など見どころ多数。

☎0749-63-4410 住長浜市早崎町1664 ¥入島料に含む 時9時30分～16時30分（汽船運航時間に準ずる）休無休 Pなし MAP折込裏E2 ■写真 4 5 6 7

1

2

3

4

5

8

6

7

9

10

1 長浜港から連絡船で約30分 2 帰りの船が来るまで約80分の島めぐりへ 3 拝観受付から宝厳寺本堂まで165段の石段を上がる 4 宝厳寺本堂は外陣のみ拝観可能 5 弁天様の幸せ願いダルマ1体500円。願い事を書き入れて奉納 6 国宝の唐門は秀吉時代の大坂城唯一の遺構 7 宝厳寺から都久夫須麻神社への渡り廊下。秀吉の御座船の一部を利用したため「船廊下」といい、重要文化財に指定 8 願い事を書いた素焼きの皿を投げて鳥居の間をくぐれば願いが叶うとか 9 都久夫須麻神社の本殿は国宝 10 竹生島の夕景で旅の余韻に浸って

都久夫須麻神社（つくぶすまじんじゃ）

願いを叶える かわらけ投げに挑戦

平安時代に記された「延喜式神名帳」にも登場する神社で、市杵島比売命・宇賀福神・浅井比売命・龍神の四柱を祀る。厄除けのかわらけ投げが人気。

☎0749-72-2073 住長浜市早崎町1665 ¥入島料に含む 時9時30分～16時30分(汽船運航時間に準ずる) 休12月1日～3月の第2日曜 Pなし MAP折込裏E2

■写真 8 9

長浜からひと足のばして

長浜北部の観音の里と日本最大級のお地蔵様のもとへ

長浜の北部には古くから人々に守り継がれてきたたくさんの観音様が。長浜駅から高月駅まで電車で約10分、さらに木之本駅まで約4分です。

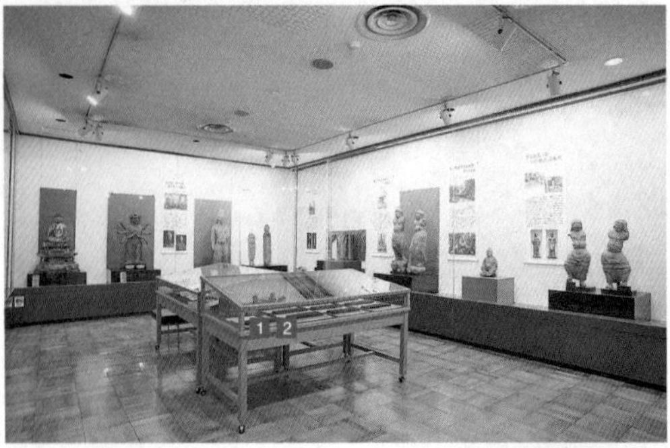

県内の貴重な仏像資料を紹介する企画展示もたびたび開催

JR高月駅からすぐの便利な立地

たかつきかんのんのさと れきしみんぞくしりょうかん

高月観音の里 歴史民俗資料館

観音様から学ぶ里のいまむかし

観音の里めぐりの最初に立ち寄りたいスポット。観音の里として知られる湖北地方の歴史や文化を紹介。観音像をはじめとする仏像や神像など、多数の文化財を展示している。

☎0749-85-2273 住長浜市高月町渡岸寺229 ¥入館300円 ⏰9～17時(最終入館16時30分) 休火曜、祝日の翌日 交JR高月駅から徒歩8分 P30台 MAP折込裏E1

十一面観音に会えるお寺

しゃくどうじ
石道寺
MAP折込裏F1

ここうかく・よしろかく
己高閣・世代閣
MAP折込裏F1

1 宿場町として栄えた木之本宿の中心地に立つ 2 地蔵大銅像 3 人々の身代わりのため左目をつむった「身代わり蛙」

きのもとじぞういん

木之本地蔵院

高さ6mの大迫力 日本最大級のお地蔵様

古くから眼の仏様として信仰され、空海や足利尊氏も参拝したと伝わる。暗闇の回廊を進み、本尊と結ばれた錠前に触れる修行体験「御戒壇巡り」も。

☎0749-82-2106 住長浜市木之本町木之本944 ¥拝観無料(御戒壇巡りは300円) ⏰8～17時 休無休 交JR木ノ本駅から徒歩5分 P20台 MAP折込裏E1

湖北の名物グルメ

つるやぱんほんてん

つるやパン本店

たくわん入りのコッペパン

たくあん漬けをサンドした名物・サラダパンの店。魚肉ハムを挟んだサンドウィッチなど、オリジナルの惣菜パンが揃う。DATA☎0749-82-3162 住長浜市木之本町木之本1105 ⏰8～18時(日曜、祝日は9～17時) 休無休 交JR木ノ本駅から徒歩5分 Pなし MAP折込裏E1

サラダパン180円。パッケージも魅力

びわこしょくどう

びわこ食堂

ボリューム満点の名物鍋

豊臣秀吉も好んだという郷土料理を再現したとりやさい鍋が名物。シメにはうどんやラーメン投入がおすすめ。DATA☎0749-85-2510 住長浜市高月町井口1378 ⏰11～14時、17～21時 休月曜 交JR高月駅から車で5分 P40台 MAP折込裏E1

地元民も愛する、とりやさい鍋一人前750円

ローザンベリー多和田で バラや季節の花に癒やされる

山に囲まれた自然豊かな場所にあるローザンベリー多和田。美しい庭園や牧場では穏やかな時間が流れます。

1 バラが見頃を迎えるのは5〜6月と10月 2 約1㎞の距離をゆったり走る「ローザン鉄道（有料）」は大人にも人気 3「ひつじのショーン」のキャラクターたちがお出迎え 4 ひつじのショーンのパン作り体験1200円〜も実施

ろーざんべりーたわだ ローザンベリー多和田

バラや四季の花が咲き誇るガーデン&ファーム

近年SNSでも人気のスポット。緑あふれる広大な敷地に、バラや季節の花が咲く美しい庭や牧場、英国クレイアニメ「ひつじのショーン」の世界感が楽しめるエリアもある。

☎0749-54-2323 住米原市多和田605-10 ¥入園1500円 ◷10時〜最終受付16時30分(12〜2月中旬は〜15時30分) 休火曜(祝日の場合は営業) 交JR米原駅から車で15分 P360台 MAP折込裏F2

園内カフェ

かふぇ いーじー たいむ Cafe EASY TIME

美しいガーデンを望むカフェ

手入れの行き届いたガーデンを眺めながらゆったりと食事ができる。あいがけオリジナルカレーや自家製スコーンが好評。DATA☎0749-54-2323 住米原市多和田605-10 ◷10時〜16時30分 休火曜(祝日の場合は営業) 交JR米原駅から車で15分 P360台 MAP折込裏F2

専属パティシエ監修のアフタヌーンティー3850円が楽しめる(要予約 ※写真はイメージ

10月上旬〜2月中旬の夜間、ローザンベリー多和田で行なわれる関西最大級のイルミネーションも必見です。

長浜
0 200m
徒歩3分
法輪寺
国道8号へ
本ノ本へ
三ツ矢大神宮
長浜ICへ
了念寺
北陸本線
郡上大神宮
知善院
大通寺公園
大通寺
米川
長浜別院大通寺
舎那院 P.73
国道8号へ
西本願寺長浜別院
高良神社
今重屋敷能舞館
願養寺
河濯神社
長濱八幡宮 P.73
長浜曳山まつり P.124
KBセーレン長浜工場
大津地方裁判所
勝福寺
曳山博物館
長浜図書館
安浄寺
鐘紡町
浄琳寺
一心寺
長浜御坊前
高田町
市役所前
西中学前
長浜市役所
豊国神社 P.72
西本町
長浜税務署
高田
西中
長浜駅口
元浜町
下図
長浜駅前
公園町北
長浜駅
浜湖月
浄国寺
宗圓寺
高田神社前
高田神社
豊愛稲荷神社
公園町
公園町南
長浜駅
神社前
P.72 長浜城歴史博物館
長浜鉄道スクエア P.78
長浜北星高
P.72・106 豊公園（長浜城跡）
長濱浪漫ビール P.78
豊公園港町
豊公園
延長坊万年寺
貴船神社
ヤンマーディーゼル汎用機事業本部長浜工場
P.78 慶雲館
グリーンホテルYes長浜みなと館
成田美術館 P.78
長浜ヨットハーバー
琵琶湖
港町
地福寺町
ヤンマーミュージアム P.78
北ビワコホテルグラツィエ P.79
十一川橋
国道平方
徳勝寺
ソプラ・デッレ・グラツィエ
長浜市
湖岸平方
竹生島へ
彦根へ
米原へ
509
556

黒壁スクエア
0 50m
徒歩1分
長浜市
大通寺 P.68・73
華房クリニック
北国街道
P.68 kokochi
願養寺
P.75 BIWA COLLAGE
日吉神社
長浜元浜局
善隆寺
三谷旅館
P.70 カフェ叶 匠壽庵 長浜黒壁店
まちやの宿 いろは P.68
大津地方裁判所
うらくろ通り P.68
蘭亭 P.68
じらそーれ P.75
勝福寺
油甚本店 P.79
びわこレストラン ROKU P.74
Fruits cafe しぜん堂 P.71
大津地方検察庁
P.71 96CAFÉ
黒壁ガラス館 P.66
出世稲荷神社
ガラス体験アトリエ ルディーク P.67
曳山博物館 P.78
豊国神社
せんなり亭近江肉 橙 P.75
écrin P.79
安浄寺
湖のスコーレ P.69
黒壁インフォメーションセンター
海洋堂フィギュアミュージアム 黒壁 龍遊館 P.78
分福茶屋 P.71
P.66 黒壁AMISU
真願寺
おにくや食堂Suehiro P.78
浄琳寺
翼果楼 P.74
NTT西日本長浜本館
ホテルYes長浜駅前館
澤田医院
鳥喜多本店 P.78
一心寺
西本町
中西医院
長浜駅口
長浜駅前
元浜町
長浜御坊前
千茂登 P.79
長浜駅
米川
料理旅館 長浜千茂登
妙法寺
森島歯科医院
高田町
西川歯科医院

長い歴史と新しさが融合する
比叡山・大津・草津へ

世界遺産の比叡山がそびえる県庁所在地、大津。
宿場町の面影を残す草津。
歴史ある寺社仏閣はもちろんのこと、
ミュージアムやショップ巡りも魅力です。

これしよう!

比叡山の門前町 坂本で歴史さんぽ

日本のお城建築に貢献した職人集団・穴太衆の石垣が風情たっぷり(☞P92)

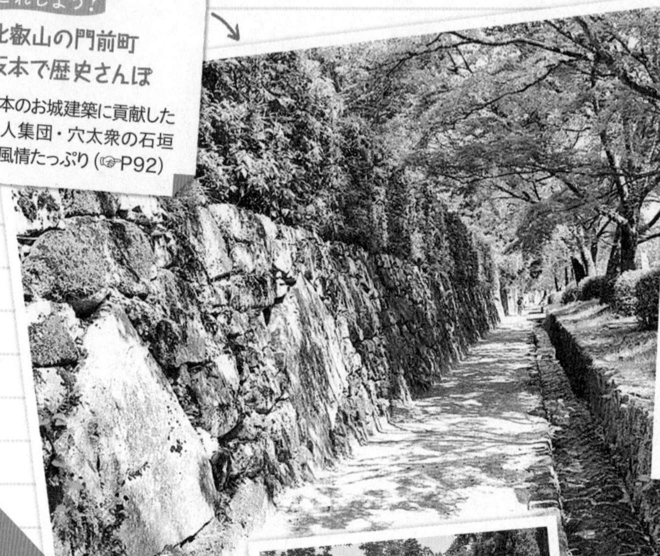

これしよう!

大津港周辺で湖畔をぶらり

レトロモダンな旧大津公会堂で夕食(☞P97)の後は、びわこ噴水のライトアップへ

これしよう!

世界遺産の山寺で心身を浄化

天台宗総本山・比叡山 延暦寺の諸堂を巡り、おみくじの元祖を体験。(☞P88)

山王総本宮 日吉大社の厄除けのおみくじ(☞P93)

比叡山・大津・草津はココにあります!

悠久の歴史を紡ぐ比叡山と中心街へ

比叡山・大津・草津

ひえいざん・おおつ・くさつ

こんなところ

滋賀県と京都府の県境にそびえる標高848mの霊峰・比叡山。三塔十六谷からなる山全体が延暦寺の境内で、厳かな空気が漂う。かつて延暦寺の門前町として栄えた山麓の坂本や、イマドキのお店も多い大津港界隈や草津へ。新旧の見どころを堪能しよう。

access

【電車】
- 大津駅から比叡山坂本駅へ　JR琵琶湖線で4分の山科駅で乗り換え、JR湖西線で11分、比叡山坂本駅下車
- 大津駅から草津駅へ　JR琵琶湖線新快速で10分の草津駅下車

【車】
- 名神高速京都東ICから比叡山頂へ　国道161号と比叡山ドライブウェイを約16kmで比叡山頂
- 湖西道路仰木雄琴ICから比叡山頂へ　県道315号と奥比叡ドライブウェイを約14kmで比叡山頂
- 名神高速栗東ICから草津へ　国道1号を約5kmで草津市街

広域MAP 折込表

～比叡山・大津・草津　はやわかりMAP～

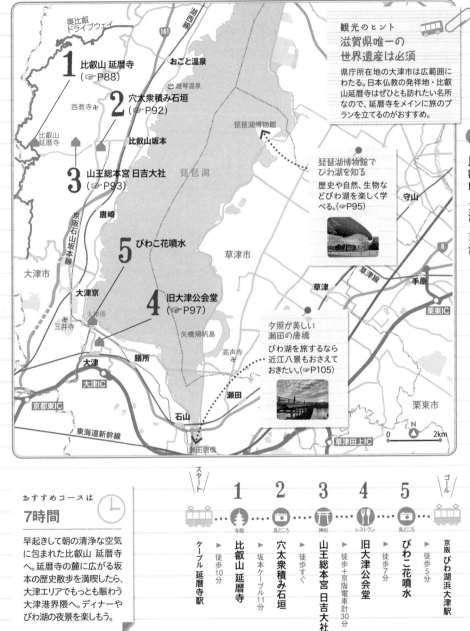

観光のヒント

滋賀県唯一の世界遺産は必須

県庁所在地の大津市は広範囲にわたる。日本仏教の発祥地・比叡山延暦寺はぜひとも訪れたい名所なので、延暦寺をメインに旅のプランを立てるのがおすすめ。

琵琶湖博物館でびわ湖を知る

歴史や自然、生物などびわ湖を楽しく学べる。（☞P95）

夕照が美しい瀬田の唐橋

びわ湖を旅するなら近江八景もおさえておきたい。（☞P105）

おすすめコースは

7時間

早起きして朝の清浄な空気に包まれた比叡山 延暦寺へ。延暦寺の麓に広がる坂本の歴史散歩を満喫したら、大津エリアでもっとも賑わう大津港界隈へ。ディナーやびわ湖の夜景を楽しもう。

スタート　ケーブル 延暦寺駅
▶徒歩10分
1　寺院　**比叡山 延暦寺**
▶坂本ケーブル11分
2　見どころ　**穴太衆積み石垣**
▶徒歩すぐ
3　神社　**山王総本宮 日吉大社**
▶徒歩＋京阪電車計30分
4　レストラン　**旧大津公会堂**
▶徒歩7分
5　見どころ　**びわこ花噴水**
▶徒歩5分
ゴール　京阪 **びわ湖浜大津駅**

1200年もの悠久の時を刻み続ける 世界遺産・比叡山延暦寺へ

天台宗総本山・比叡山延暦寺は、今から1200年前に最澄が開いた古刹。
標高848mの山全域が厳粛な雰囲気に満ちています。

ほっけそうじいんとうどう
法華総持院東塔
伝教大師最澄が全国に6カ所建立した宝塔の一つとされる法華総持院東塔、本尊の阿弥陀如来を祀る阿弥陀堂などからなる。

ひえいざん えんりゃくじ
比叡山 延暦寺 世界遺産

山全域が厳かな境内 最澄が開いた天台宗総本山

平安時代初期の延暦7年（788）、伝教大師最澄（でんぎょうだいしさいちょう）によって開かれた天台宗の総本山。はじまりの地である東塔をはじめ、第2世天台座主（円澄）が開いた西塔、第3世天台座主（円仁）による横川の三塔十六谷からなる。

☎077-578-0001 住大津市坂本本町4220 ¥巡拝1000円（東塔・西塔・横川共通） 🕒東塔は8時30分〜16時30分（12月は9〜16時、1・2月は9〜16時30分）、西塔・横川は9〜16時（12月は9時30分〜15時30分、1・2月は9時30分〜16時） 休無休 交ケーブル延暦寺駅から徒歩10分で東塔（東塔から西塔・横川へは有料シャトルバスあり） P525台 MAP折込表C3

知っておきたい

比叡山ってどんな山？

滋賀と京都の県境にそびえる霊峰・比叡山は、日本仏教における母なる山ともいえる聖地。元亀2年（1571）には織田信長による焼き討ちにあって諸堂のほとんどを焼失したが、豊臣秀吉や徳川家康らにより再興。ユネスコ世界遺産の一つ。

比叡山へのアクセス

①坂本ケーブル
日本最長のケーブルカーで、延暦寺と山麓の坂本の約2kmを結ぶ。所要時間約11分。
☎077-578-0531 ¥片道870円、往復1660円 MAP折込表C3

②比叡山ドライブウェイ
大津市の田の谷峠から延暦寺東塔・比叡山山頂に延びる約8kmの有料道路。眺望抜群のドライブコース。
☎077-529-2216 ¥通行片道860円、往復1700円 MAP折込表C3

③奥比叡ドライブウェイ
延暦寺東塔から西塔、横川を経て大津市仰木に続く約12kmの有料道路。☎077-578-2139 ¥通行片道1570円、比叡山ドライブウェイとの縦走2430円 MAP折込表C2

おすすめルート

1 ケーブル延暦寺駅 → 2 東塔 → 3 延暦寺会館 → 4 西塔 → 5 横川

ぐるっと回って5時間

各エリア間は距離があるので、移動する時は車か3エリアを結ぶシャトルバス(¥1日フリー乗車券1000円)が便利

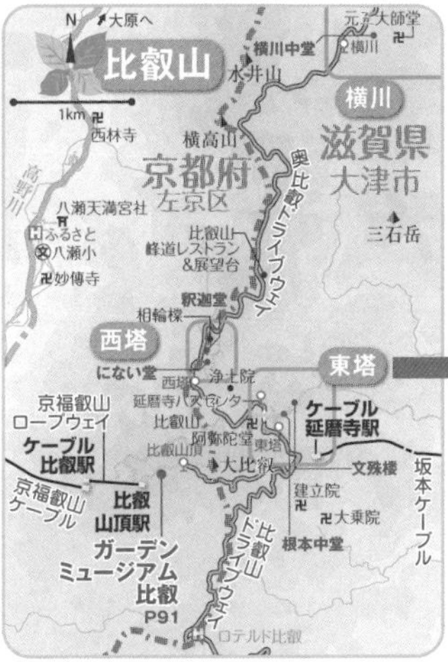

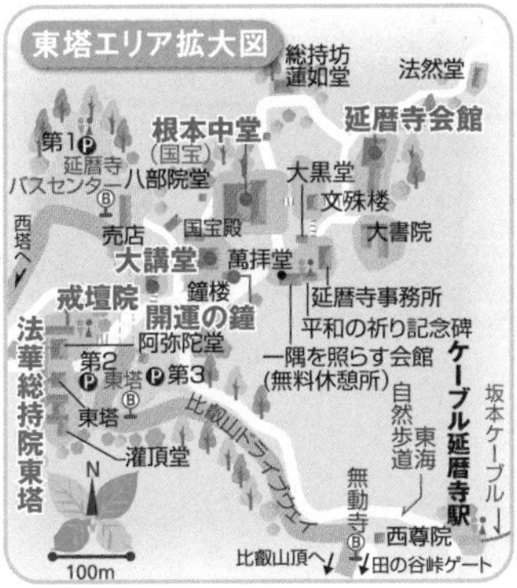

とうどう
東塔

延暦寺のはじまりの地

伝教大師最澄が最初に延暦寺を開いた場所で、天台宗の発祥地といえる。比叡山に点在する150の堂宇の中心。宿坊や修行体験ができる延暦寺会館はこのエリア内。

こんぽんちゅうどう
根本中堂

2016年から約10年かけて大改修中

最澄自作の薬師如来を本尊とする延暦寺の総本堂で国宝。大改修期間中は屋根の葺き替えなどの作業風景を間近に見られる。堂内の参拝は可能。

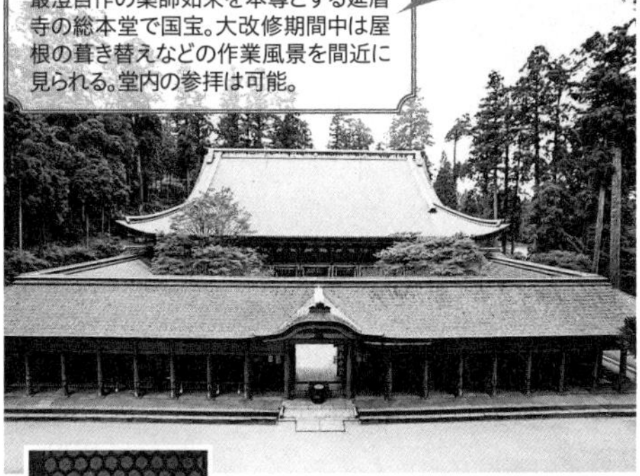

完成イメージ

だいこうどう
大講堂

本尊の大日如来と、比叡山で修行した各宗祖の木像を安置。僧侶が学問修行をする場でもある。

根本中堂の本尊の前には延暦寺創建以来灯し続ける「不滅の法灯」がある

梵字守 600円

薬師如来の梵字を刻み、厄除けのご利益がある

かいだんいん
戒壇院

天台宗の僧侶が僧になることを誓うお堂で和洋と唐様の様式が融合。釈迦如来と文殊菩薩、弥勒菩薩を祭る。

東塔の境内には、石の車を回せば願い事が成就するという摩尼車(まにぐるま)や開運の鐘もあります。

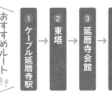

さいとう
西塔

静寂に包まれた山修山学道場

東塔から北へ約1km、第2世天台座主寂光大師円澄によって開かれた場所。伝教大師最澄の御廟・浄土院はこのエリア内。

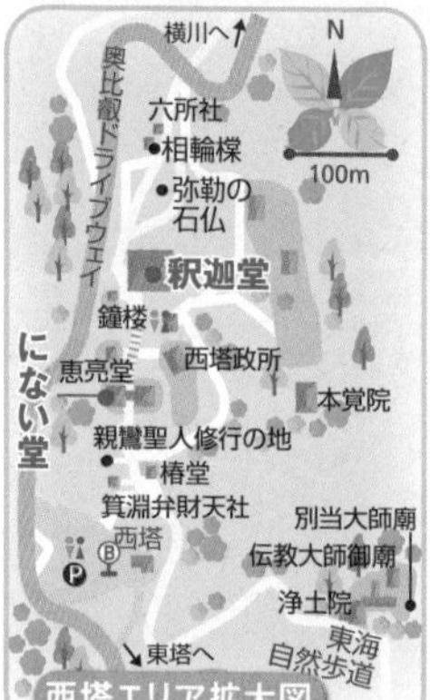

西塔エリア拡大図

しゃかどう
釈迦堂

本尊の釈迦如来像が名の由来で、西塔の本堂にあたる。山内最古の建物で、豊臣秀吉がこの地に園城寺三井寺（☞P94）の金堂を移築。

にないどう
にない堂

左右対称の常行堂と法華堂が廊下で結ばれる。弁慶が2つのお堂を繋ぐ廊下に肩を入れて担いだとの伝説からこの名に。

修行体験

えんりゃくじかいかん
延暦寺会館

東塔の根本中堂から徒歩3分の場所にある延暦寺の宿坊。精進料理が味わえる食事処や大浴場を備えるほか、写経や坐禅などの修行体験ができる。

☎077-579-4180 住延暦寺境内 ◷11時30分～13時30分 休無休 P第1駐車場利用（100台）MAP折込表C3

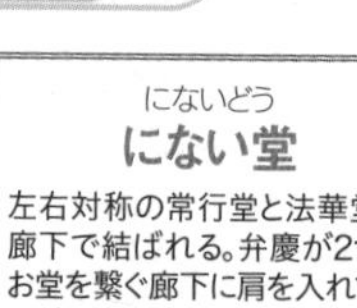
比叡御膳2200円（要予約）

写経

■所要時間・料金
約90分／1100円（要予約）

背筋を伸ばし、心を落ち着かせて墨をすることからスタート。般若心経を写すことで、心身を清めるなどの功徳があるという。

坐禅

■所要時間・料金
約60分／1100円（要予約）

禅の基本的な修行法で、姿勢を正して坐し、精神統一を行う。目を半開きにして1m先に視線を落とし、口を結ぶのが基本姿勢。

比叡山ドライブで絶景を楽しむ

比叡山ドライブウェイの道中各所から、大津市街やびわ湖の南湖周辺が一望できる。昼間の爽快な景色はもちろんのこと、夜の運転に不安がなければ「夢見が丘展望台」からの夜景もおすすめ。

横川（よかわ）

他宗派の開祖もこの地で修行

西塔から北へ4㎞ほどの、第3世天台座主慈覚大師円仁により開かれた寺域。親鸞、日蓮、道元などもこの地で修行した。

横川中堂（よかわちゅうどう）

横川エリアの本堂。舞台造の建物は、船が浮かんでいる姿に見えるのが特徴。本尊として祀るのは慈覚大師作と伝わる聖観音菩薩。

根本如法塔（こんぽんにょほうとう）

横川中堂の西側、杉木立の間にたたずむ朱塗りの多宝塔で、慈覚大師円仁が写した仏教経典が納められている。

元三大師堂（がんざんだいしどう）

第18世天台座主であり、延暦寺中興の祖・元三慈恵大師良源の住居跡。おみくじの元祖とも伝わることから、堂内ではおみくじ体験ができ、僧侶に助言をもらえる。

悩み事を僧侶に相談し、僧侶が100通りあるおみくじを引いて助言してくれるという珍しいスタイル。志納金3000円(要予約)

立ち寄りスポット

山頂に広がる庭園美術館

ガーデンミュージアム比叡（がーでんみゅーじあむひえい）

1500種10万株ほどのバラやスイレンなど四季の花々が咲き誇る庭園美術館。カフェやショップもある。

☎075-707-7733 住京都市左京区修学院尺羅ヶ谷四明ヶ嶽4 ¥入園1200円(季節により異なる) ¥10時～17時30分(季節により異なる) 休木曜、12月中旬～4月上旬 交名神高速京都東ICから西大津バイパス、比叡山ドライブウェイなどを経由して車で50分 P230台 MAP折込表C3

フランス印象派画家の作品と花々が可憐な共演を見せる

東塔、西塔、横川の3つのエリアすべてを巡るなら、5時間は必要。時間にゆとりがない場合は東塔へ。

比叡山の麓に広がる門前町 坂本でのんびり歴史さんぽ

歩いて回って
約2時間

比叡山延暦寺を拝観したあとは、門前町である坂本にも立ち寄りましょう。
風情ある石垣が続く小径や明智光秀ゆかりのお寺など歴史スポットが満載です。

スタート！

社殿と唐門、透塀は国の重要文化財に指定されている

日吉東照宮

ひよしとうしょうぐう

日光東照宮のモデルかも⁉

徳川家康を祭るため、元和9年（1623）に創建された神社。一つの屋根の下に本殿と拝殿がある権現造で、日光東照宮はこの建築様式を基に再建されたと伝わる。

☎077-578-0009(日吉大社) 住大津市坂本4-2-12 ¥拝観無料(内部拝観は300円) ◷休境内自由(内部拝観は土・日曜、祝日の10～16時のみ) 交京阪坂本比叡山口駅から徒歩16分 P5台 MAP折込表D3

権現造が見られる唐門の内側は土・日曜と祝日のみ見学可能

徒歩10分

徒歩1分

穴太衆積み石垣

あのうしゅうづみいしがき

戦国史に欠かせない職人技

僧侶の隠居所であった里房や社寺などに穴太衆と呼ばれる石工集団が造った石垣が残る。自然石をほとんど加工せず積み上げる美しくも堅牢な工法は、全国の城の石垣にも活用された。

☎077-578-6565(坂本観光案内所) 住大津市坂本 ¥◷休散策自由 交京阪坂本比叡山口駅から徒歩2分 P大宮川観光駐車場(無料) MAP折込表D3

坂本観光案内所では、電動アシストレンタサイクルやコインロッカーが利用できる

日吉大社の参道沿いに築かれた穴太衆積み石垣

ココにも石垣！
天台座主が暮らした
御座所（滋賀院御殿）へ

歴代の天台座主が江戸時代末期まで暮らした本坊、滋賀院門跡。穴太衆積みの石垣に囲まれた約3万㎡の敷地内に、御成門（勅使門）、内仏殿、宸殿、二階書院などが点在している。
☎077-578-0130 MAP折込表D3

さんのうそうほんぐう ひよしたいしゃ
山王総本宮 日吉大社

京の都の鬼門を守る魔除けの古社

約2100年前の崇神天皇7年に創祀された古社で、全国に3800以上ある日吉・日枝・山王神社の総本宮。平安京の表鬼門にあたり、魔除や災難除の社として信仰を集めてきた。

☎077-578-0009 住大津市坂本5-1-1 ¥拝観500円 ◷9時～16時30分 休無休 交京阪坂本比叡山口駅から徒歩10分 P50台 MAP折込表D3

神の使いである神猿（まさる）さんのおみくじ（茶）500円。金色800円は金運上昇のご利益も

西本宮の拝殿。奥には国宝の本殿が鎮座

徒歩15分

さいきょうじ
西教寺

光秀が復興に尽力した明智家の菩提寺

聖徳太子の創建と伝わる天台真盛宗の総本山で、光秀と妻の熙子を祀る。ゆかりの品々を展示する資料館も。夏は風鈴参道、秋は紅葉参道、春は風車参道と季節ごとに境内散策が楽しめる。

☎077-578-0013 住大津市坂本5-13-1 ¥拝観500円 ◷9時～16時30分 休無休 交JR比叡山坂本駅から江若バス日吉台線で7分、バス停西教寺からすぐ P100台 MAP折込表D2

江戸時代築の本堂は国の重要文化財に指定されている

総門は光秀が坂本城から移築

門前名物＆カフェ

ぱんこうぼう せいようけん
パン工房 西洋軒

石積みがモチーフの餡入りご当地パン

穴太衆積みの石垣にヒントを得たというパンは売切必至の人気。パンの中には春夏はうぐいす餡、秋冬は栗餡が入っている。

☎077-578-0111 住大津市坂本4-14-11 ◷7時30分～18時30分 休日曜、祝日、ほか不定休あり 交京阪松ノ馬場駅から徒歩2分 P2台 MAP折込表D3

石積みのぱん220円。レーズンで黒石を、クルミで白石を表現

ふようえんほんかん
芙蓉園本館

庭園の景色も見事な日本料理店

比叡山名物の比叡ゆばをはじめ、湖魚や新鮮野菜を使った郷土料理が味わえる。国の名勝指定の池泉回遊式庭園も必見。

☎077-578-0567 住大津市坂本4-5-17 ◷10～21時（食事は11～15時※17時以降は宴席対応の完全予約制） 休不定休 交京阪坂本比叡山口駅から徒歩10分 P20台 MAP折込表D3

地元の素材を生かしたうなぎ柳川鍋1980円（限定20食）

国宝を擁する三井寺と石山寺で あの歴史的人物とのゆかりを知る

近江八景の一つ「三井の晩鐘」で名高い三井寺と巨大な岩の上に建つ石山寺。紫式部と織田信長、ふたりの歴史的有名人と縁のある名刹です。

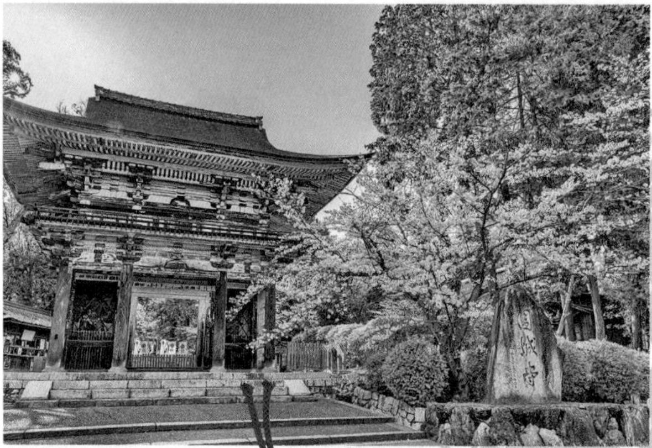

春には1000本を超えるソメイヨシノやしだれ桜が咲き誇る

西国三十三所 観音霊場札所第十四番札所 鸚鵡800円と開運さくら守700円

総本山 三井寺

そうほんざん みいでら

国宝&重文は100点超！ 三井の晩鐘で有名な古刹

天智・天武・持統天皇誕生の際、産湯に使った霊泉があることから「御井寺」と呼ばれ、後に現在の名に。織田信長が上洛する際、足利義昭を迎えてこの地に陣を置き、勢力を強めていった。

☎077-522-2238 住大津市園城寺町246 ¥参拝600円 ⏰8～17時（文化財収蔵庫は8時30分～16時30分）2024年10月から9時～16時30分（受付終了16時）休無休 交京阪三井寺駅から徒歩7分 P350台 MAP折込表C4

天台寺門宗の総本山で正式名称は長等山園城寺

石山寺

いしやまでら

源氏物語はここで起筆 紫式部ゆかりの寺

国の天然記念物の巨大な硅灰石の上に立つ国宝の本堂には、紫式部が参籠したという「源氏の間」が残る。天正元年（1573）織田信長と足利義昭の争いの舞台となり、多くの堂宇や僧坊が焼失した歴史がある。☎077-537-0013 住大津市石山寺1-1-1 ¥入山600円 ⏰8時～16時30分（受付は～16時30分）休無休 交京阪石山寺駅から徒歩10分 P120台 MAP折込表E6

国宝の本堂は県内で最も古い木造建築とされている

寺名の由来となった硅灰石の上に多宝塔が立つ。パワースポットとしても人気（写真提供：石山寺）

門前名物

三井寺力餅本家

みいでらちからもちほんけ

三井寺の門前名物 弁慶の怪力にちなむ餅

青大豆の入ったたっぷりのオリジナルきな粉と、店内で作られるやわらかな餅が相性抜群の力餅が看板。

☎077-524-2689 住大津市浜大津2-1-30 ⏰7～19時 休無休 交京阪びわ湖浜大津駅から徒歩すぐ Pなし MAP折込表D4

イートインの力餅と抹茶のセット800円

非日常のひとときを 空間も魅力の個性派ミュージアム

展示はもちろん、空間や建物も素敵なミュージアムが点在。
日常から少し離れて、文化やアートとのんびり触れ合う贅沢な時間を。

古代湖・びわ湖に存在したゾウやワニの模型も▶

滋賀県立琵琶湖博物館
しがけんりつびわこはくぶつかん

テーマは「湖と人間」

歴史や自然、人々の暮らしを体感できるバラエティ豊かな展示で大人も子どもも楽しめる総合博物館。

☎077-568-4811 住草津市下物町1091 ¥800円 ⏲10～17時（入館は～16時）休月曜、臨時休館あり 交JR草津駅から近江鉄道バス琵琶湖博物館行きで25分、終点下車すぐ ※公式Webサイトで事前予約が必要 P420台 MAP折込表F3

館内のカフェでは「びわ湖カレー」1120円が人気▶

▼国内最大級の淡水生物の展示室。びわ湖にだけ生息する魚も見られる

佐川美術館
さがわびじゅつかん

異なるジャンルの3巨匠

▼楼蘭遺跡三題は平山郁夫の常設作品

日本画家・平山郁夫、彫刻家・佐藤忠良、陶芸家・樂直入の作品を常設展示。 ☎077-585-7800 住守山市水保町北川2891 ¥入館1000円（企画毎に異なる）⏲9時30分～17時（入館は～16時30分）休月曜（祝日の場合は翌日）※展示替休館あり ※Web事前予約制の場合あり 交名神高速道路瀬田西ICから約20km P70台 MAP折込表F2

▲水に浮かんでいるかのような外観が特徴的

滋賀県立美術館
しがけんりつびじゅつかん

くつろぎながらアートに触れる

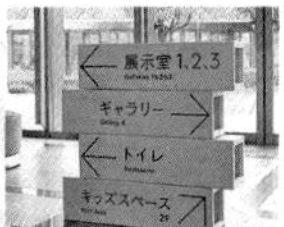

案内表示や照明、サイドテーブルの土台に信楽焼を採用▼

「リビングルームのような美術館」がテーマ。日本画家・小倉遊亀と染織家・志村ふくみのコレクションは国内随一。

☎077-543-2111（電話受付時間8時30分～17時15分）住大津市瀬田南大萱町1740-1 ⏲9時30分～17時（入館は～16時30分）休月曜 交JR瀬田駅からバスで10分、バス停文化ゾーン前または県立図書館・美術館前から徒歩5分 P約340台 MAP折込表F6

▲エントランスを入ったウェルカムゾーンは無料エリア（撮影：大竹央祐）

シジミや湖魚など地場の恵みや おしゃれな空間でおいしい時間

大津・草津には、びわ湖の幸の魅力を引き出した料理が味わえる和食処をはじめ、モダンな近代建築や湖畔の公園など特別なロケーションのお店が点在します。

雪コース8800円
旬の食材を生かした前菜をはじめ全8品。この日の前菜は焼き枝豆、秋刀魚の棒寿司など。おくどさんで炊きたての近江米も美味

元祖志じみ釜めし御膳 1800円
志じみ釜めしの元祖で、注文後に鉄釜で炊き上げる。
季節のおばんざいがつく

草津

じみ こうげつ
滋味 康月

湖魚と旬の食材を日本料理で

オープンキッチンのカウンター席がメインに構える

滋賀の風土が育む食材に惚れ込んだ店主が腕をふるう。「琵琶湖八珍」に名を連ねるビワマス、ホンモロコ、希少なびわ湖の天然鰻など湖魚が主役の料理を堪能できる。地酒も充実。☎077-562-2238 住草津市大路1-11-14フロント草津ビル地下1階 ⏲12～13時（予約制）、18～21時 休火曜、月末日の夜 交JR草津駅から徒歩3分 Pなし MAP折込表F4

大津

しじみかまめし こしゅう
志じみ釜めし 湖舟

シジミのだしが染み込む絶品釜めし

石山寺の門前に暖簾を掲げる。創業以来のうな丼やうな重も評判

近郊では縄文時代からびわ湖だけに生息するセタシジミが食されており、びわ湖南部では今も名物。釜めしは注文後に炊き上げるシジミのうま味とおこげの香ばしさが調和。☎077-537-0127 住大津市石山寺3-2-37 ⏲10～17時 休不定休 交京阪石山寺駅から徒歩10分 Pなし MAP折込表E6

クルーズ船でモーニングティー

ミシガンクルーズ（→P28）の船内にはレストランやカフェなどがあり、大津港発着の9時40分便ではモーニングティーセットが楽しめる（要事前予約）。☎077-524-5000 MAP折込表D4

@モダンな洋館

きゅうおおつこうかいどう

旧大津公会堂

公会堂として昭和9年（1934）に建てられた洋館。モダンな館内に異なるジャンルの4つのレストランがある。住大津市浜大津1-4-11 交京阪びわ湖浜大津駅から徒歩1分 P8台 MAP折込表D5

大津

りすとらんて らーご

Ristorante LAGO

正統派イタリアンをコースで

本場イタリアで修業したシェフが作る正統派のイタリアンレストラン。近江牛や地元野菜などの厳選素材を使った料理が好評。☎077-525-2701 ⏰11時30分 ～14時LO、17時30分 ～20時LO 休月曜（祝日の場合は営業）

メイン、パスタ、ドルチェなどのランチコースは3850円～

ランチコース6500円。コースのメインとなるのは11種の料理を盛り込んだ「TORIあわせ」

大津

たんかいりょうり とうぃん

淡海料理 Tovin

滋賀県産の希少な地鶏料理

長い期間をかけて大切に育てた淡海地鶏をはじめ、湖魚、近江野菜など、滋賀県の食材を使ったコース料理（要予約）が味わえる。☎077-572-6356 ⏰12～14時（土・日曜のみ）、18～22時※予約制 休水曜

@湖畔の公園

なぎさのてらす

なぎさのテラス

人々の憩いスポット・なぎさ公園に、4つのカフェ&レストランがびわ湖に面して並び立つ。住大津市打出浜15-2～5 交京阪石場駅から徒歩3分 P61台（打出の森駐車場利用）なし MAP折込表D5

大津

あんちょび

ANCHOVY

ワインと楽しむイタリアン

パスタやピッツァなど、アンティパストなどシンプルだけれど本格派の料理を提供。ワインも豊富に揃う。☎077-522-1811 住大津市打出浜15-3 ⏰11時30分～14時30分、17時30分～21時LO（平日はランチのみの営業）休水曜（要問合せ）

魚介の旨みが凝縮したペスカトーレ1749円。ピザは1540円～

なぎさ公園のなぎさのプロムナードは、花壇などできれいに整備されているので、のんびりと散歩するのにぴったり。

地元の人に愛される名店ばかり 和&洋スイーツで甘いひとときを

地元の人が手みやげを買いに訪れる和菓子処から気鋭の新店たち。
上質な餡を使った和菓子や見目麗しいケーキを召し上がれ。

大津

かのう しょうじゅあん すないのさと

叶 匠壽庵 寿長生の郷

和菓子の名店「叶 匠壽庵」が手がける店。丘陵地に広がる自然豊かな敷地に古民家や数寄屋造りの建物、甘味処が立つ。和菓子や甘味、パンのほか、事前予約で弁当や懐石料理も。

☎077-546-3131 住大津市大石龍門4丁目2-1 ⏰10～17時(施設により異なる) 休水曜(季節により変更あり) 交JR石山駅から車で30分(JR石山駅からシャトルバスによる送迎あり) P50台(季節により変更あり) MAP折込裏C6

山々を望む緑豊かな和菓子の里

手みやげに喜ばれる代表銘菓のあも1本1296円

「野坐」の1階はベーカリー、2階のカフェではサイフォンコーヒーとデザートを提供

和菓子店ならではの「匠のあんぱん」249円

守山

どうぶるべ・ぼれろ もりやまほんてん

W.Boléro 守山本店

フランス産の小麦粉を使い、香りづけの洋酒を素材ごとに選び分けて作るケーキや焼菓子が人気で、遠方から訪れる人も多い。世界的に評価の高いショコラもぜひ味わって。

☎077-581-3966 住守山市播磨田町48-4 ⏰10～19時 休月・火曜 交JR守山駅から近江鉄道バス佐川美術館行きで5分、バス停新八代から徒歩3分 P13台 MAP折込表G3

正統派のフランス洋菓子専門店

フランボワーズのジャムとガナッシュ入りの風味豊かなムース「ミロワール・ショコラ」など、ケーキの種類は季節により変わる

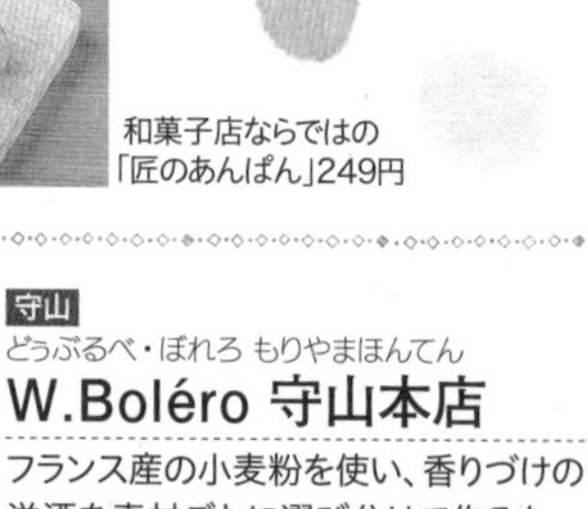

南フランスをイメージ。天気が良ければテラス席も

発酵食品のスイーツが話題！

「湖のスコーレ」(→P69)の喫茶室では、施設内で製造・醸造される発酵食品を使ったメニューが楽しめる。米糀を甘酒と生クリームで炊いて作るチーズケーキなど、スイーツも人気。

びわ湖を眺めながらスイーツピザを

抹茶白玉あんこのスイーツピザ1600円(14時以降)

大津

ぺこりーの

ペコリーノ

湖畔のイタリアンレストラン。ビーフシチューやドリア、ラザニアなどのランチが人気。14時以降のカフェタイムには、スイーツピザやパンケーキが登場する。

窓辺の席やテラス席からは浮御堂や琵琶湖大橋が望める

☎077-572-8138 住大津市本堅田1-18-5 ⏰11時30分～17時(金・土曜のみ～21時) 休月曜(祝日の場合は翌日休) ほか不定休あり 交JR堅田駅から江若バス堅田町内循環線で6分、バス停堅田本町から徒歩6分 P10台 MAP折込表E2

草津

うばがもちや ほんてん

うばがもちや 本店

永禄12年(1569)創業の和菓子店。こしあんを滋賀県産のもち米で作る羽二重餅で包み込んだやわらかな食感の「うばがもち」が名物。

☎077-566-2580 住草津市大路2-13-19 ⏰9時～18時30分 休無休 交JR草津駅から徒歩15分 P50台 MAP折込表F4

宿場町として栄えた草津に店を構える

戦国時代生まれの餅を継承

450年以上もの歴史をもつ、うばがもち6粒350円

新感覚のスイーツにうっとり

右から、ティラミル540円、ピュイダムール540円、ミルクレープ・オ・フリュイ540円

大津

ぱてぃすりーあんど でりかふぇ るめるしえ

パティスリー&デリカフェ ルメルシエ

ティラミスとミルクレープを組み合わせた、その名も「ティラミル」が話題。一枚一枚手搾りするクリームのなめらかさに魅了される。ケーキのほか、デリランチやキッシュもおすすめ。

☎077-574-1890 住大津市衣川1-40-81 ⏰10～19時 休木曜 交湖西道路坂本北ICから車で7分 P18台 MAP折込表E2

ガラス張りが開放的。テラス席もある

うばがもちやの本店まで足を運ぶ時間がないときは、JR草津駅コンコース内の店舗がおすすすめ。

びわ湖に面する絶好ロケーション 湖畔のリゾートホテルにステイ

光を受けてキラキラと輝く湖面を眺めながらくつろぐ時間は格別。
レイクサイドならではの景色を楽しめるホテルをご案内します。

▲時間とともに移ろいゆく景色を独り占めできるプライベート空間

▶モダンな建物は木材や石など自然の素材を活用

せとれまりーなびわこ

セトレマリーナびわ湖 守山

窓いっぱいに広がるびわ湖に感激

琵琶湖大橋東のマリーナ内に立つリゾートホテル。ホテルのすぐそばが湖という抜群の立地で、びわ湖クルーズを楽しみたい人にぴったり。有名建築家によるハイセンスな建物や客室も魅力。

☎077-585-1125 住守山市水保町1380-1ヤンマーマリーナ 🕒IN15時/OUT11時 交JR堅田駅から路線バス守山駅行きまたは佐川美術館行きで10分、バス停琵琶湖大橋東詰から徒歩2分 P98台 MAP折込表F1

宿泊料金

1泊2食付き料金
2万9000円～
※滞在中のドリンク代金も含む

びわこおおつぷりんすほてる

びわ湖大津プリンスホテル 大津

高層階からのパノラマビューは必見

びわ湖畔にたたずむ高層38階のホテルで、客室は全室レイクビュー。フランス料理や日本料理など多彩なジャンルのレストラン・バーが7つあり、好みに合わせて利用できるのもうれしいポイント。

☎077-521-1111 住大津市におの浜4-7-7 🕒IN14時/OUT11時 交JR大津駅から車で約10分(無料シャトルバスあり) P約500台 MAP折込表D5

◀ホテルの周辺は整備されておりレイクサイドの散歩も心地いい

▼21階から31階までの客室「スカイフロア ツイン」

▲1階にはおいしい紅茶の店認定店「ロビーラウンジ ポート ニオ」も

宿泊料金

1泊2食付き料金
1万6792円～
※一室4名利用時

朝さんぽで琵琶湖大橋へ♪

セトレマリーナびわ湖のすぐそばに全長1350mの琵琶湖大橋がある。歩いて渡ることができるので、朝のさんぽにぴったり。橋の中央には展望所、対岸には道の駅もあり、一日のはじまりが清々しい気分に。

びわこほてる

琵琶湖ホテル 大津

湖に面した癒しの天然温泉

シモンズ製のベッドを配した客室は全室レイクビュー、非日常感たっぷりでリゾートステイを満喫できる。クラブラウンジを利用できるプレミア・ラグジュアリーフロアもおすすめ。4階には天然温泉の大浴場（加温・循環ろ過）もあり、リフレッシュできる。

☎077-524-7111 住大津市浜町2-40 ⏰IN15時/OUT12時 交JR大津駅から無料シャトルバスで約5分 P155台 MAP折込表D5

宿泊料金
1泊2食付き料金
1万9500円〜

◀大きな窓から明るい光が降り注ぐプレミア・ラグジュアリーフロア「Aqua（アクア）」

◀刻一刻と表情を変えていくびわ湖の景色はいつまでも眺めていたくなる

▲瑠璃温泉「るりの湯」

びわこまりおっとほてる

琵琶湖マリオットホテル 守山

本格派のプラネタリウムも魅力

湖をイメージしてデザインされた客室は、温泉付きや和室など多彩。カヤックやSUPといったアクティビティが充実しているほか、なんと館内にはプラネタリウムも。1日20食限定のアフタヌーンティーも人気。

☎077-585-6100 住守山市今浜町十軒家2876 ⏰IN15時/OUT11時 交JR堅田駅からシャトルバスで約15分 P170台 MAP折込表F1

宿泊料金
1泊2食付き料金
2万6737円〜

▲ホテル最上階のオールデイダイニング「Grill & Dining G」

◀1日20食限定のアフタヌーンティーも好評 ※写真はイメージ

▲雄大な景色を一望するデラックスルーム

比叡山お膝元の由緒あるおごと温泉
趣ある温泉宿でほっこり

比叡山延暦寺の最澄が開いたと伝わる歴史ある温泉地・おごと温泉。
やさしい泉質の美肌の湯に癒されたあとは、心づくしの夕食も楽しみ。

ゆもとかん
湯元館

温泉が4つも!
湯めぐりを満喫

びわ湖を望む展望露天風呂と、極上の近江牛を使った会席が評判。最上階の露天風呂や広々とした眺望の大浴場など、4つの温泉が待ち受ける。朝食ビュッフェも好評だ。

☎077-579-1111 住大津市苗鹿2-30-7 ◷IN15時/OUT10時 交JRおごと温泉駅から車で5分(送迎あり) P50台 MAP折込表D2

✣宿泊料金✣
1泊2食付き料金
平日2万3000円～
休前日2万8000円～

❶緑あふれる露天風呂・湯幻逍遥(とうげんしょうよう)は男女日替り ❷近江牛プランの料理には、最高ランク5ッ星の近江牛を使用 ❸和と洋が融合した1室限定ヒーリングルームが人気 ❹朝食ビュッフェが楽しめるダイニング山咲楽などの食事処を用意

びわこはなかいどう
びわ湖花街道

**きめ細かなサービスと
豊かな自然に心ほどける**

自然に囲まれた、落ち着いた雰囲気の温泉旅館。豊かな自然を眺めながらのんびりとくつろげる温泉は、貸切の露天風呂も。全室レイクビューの客室からは、朝日や四季折々の風景が楽しめる。

☎0120-051041 住大津市雄琴1-1-3 ⓁIN15時/OUT11時 交JRおごと温泉駅から車で5分（送迎あり） P46台 MAP折込表D2

宿泊料金

1泊2食付き料金
平日2万2000円～
休前日2万9700円～

❶料理は近江牛やびわ湖の湖魚など、湖国近江の食材にこだわっている ❷木々の緑と吹き抜ける風が心地いい露天風呂・ひだまりの湯 ❸高台にあるため、部屋からの眺めは抜群

びわこりょくすいてい
びわこ緑水亭

**中庭のライトアップで
幻想的な夜を過ごす**

湖に面したテラスや露天風呂付客室など、心安らぐ時間を演出。個室も備える料亭では、近江の幸を盛り込んだ会席料理が堪能できる。2023年12月にはバレルサウナがオープン。

☎077-577-2222 住大津市雄琴6-1-6 ⓁIN15時/OUT10時 交JRおごと温泉駅から車で5分（送迎あり） P100台 MAP折込表D2

宿泊料金

1泊2食付き料金
平日2万8215円～
休前日3万3440～

❶自然を感じながら足湯や手湯が楽しめる ❷湯上りライブラリーではコーヒーなどが無料でいただける ❸山や海の幸を取り入れた会席には近江牛ステーキも付く

おごと温泉にある旅館やホテルは全部で9館。日帰り入浴OKのところもあるので公式サイトでチェックして。

ココにも行きたい

比叡山・大津・草津周辺のおすすめスポット

からさきじんじゃ 唐崎神社

近江八景の一つ「唐崎の夜雨」

湖畔に鎮座する日吉大社の摂社で、婦人病平癒のご利益があるとされる。「唐崎の夜雨」は現存する数少ない近江八景の一つであり、松尾芭蕉の俳句に登場した景勝地としても有名。境内には見事な枝ぶりの霊松があり、金沢の兼六園にある唐崎の松はここから分けられたもの。DATA☎077-578-0009（日吉大社）住大津市唐崎1-7-1 ¥境内無料 交JR唐崎駅から徒歩15分 Pなし MAP折込表D3

ぎちゅうじ 義仲寺

木曽義仲と松尾芭蕉を祀る寺

源氏同士の争いで討ち死にした木曽義仲の墓がある。室町時代末期、近江を守護する佐々木六角が寺を再建し、現在の姿になった。後に松尾芭蕉の遺言により芭蕉の墓も建立された。境内には芭蕉を祀るお堂や句碑なども残る。DATA☎077-523-2811 住大津市馬場1-5-12 ¥拝観500円 ⏲9〜17時（11〜2月は9〜16時）休月曜（祝日の場合は拝観可）交JR膳所駅から徒歩6分 Pなし MAP折込表D5

おうみじんぐう 近江神宮

歌かるたの祖を祀る神社で開運祈願

大津京を開き、小倉百人一首の巻頭を飾る天智天皇を祭神とする社。天智天皇が日本初の時計を作った記録にもとづく、水時計・日時計などもある。毎年1月に行われるかるた大会も有名。チャンス獲得に導く、ときしめす守や技芸上達守などご利益アイテムも人気。DATA☎077-522-3725 住大津市神宮町1-1 ¥境内自由 交JR山科駅から湖西線で5分の大津京駅下車、徒歩15分 P200台 MAP折込表C4

だいちゅうどう 大忠堂

近江神宮の参拝後に立ち寄りたい

近江神宮御用達、90年以上続く和菓子店。名物は、かるたの聖地・大津にちなんだかるた煎餅で、六歌仙をベースに大津にゆかりのある歌の焼き印が押されている。近江抹茶が香る素朴で優しい味わいで、おみやげにぴったり。12枚入650円。人気アニメ「ちはやふる」とのコラボ煎餅も。DATA☎077-522-3204 住大津市観音寺8-17 ⏲9〜18時 休日曜、祝日 交京阪三井寺駅から徒歩4分 P3台 MAP折込表D4

おおつまつりひきやまてんじかん 大津祭曳山展示館

原寸大曳山模型が迫力満点

湖国三大祭りの一つ、大津祭の魅力をさまざまな角度から紹介。原寸大の曳山模型のほか、曳山の懸装品、再現された町並みの様子も見学できる。館内にはお囃子が流れ、祭り当日のような雰囲気を味わえるのが魅力。お囃子の演奏を体験できるお囃子体験もおすすめ。DATA☎077-521-1013 住大津市中央1-2-27 ¥150円 ⏲9〜18時 休月曜（祝日の場合は翌日）交JR大津駅から徒歩10分 Pなし MAP折込表D5

おおつしれきしはくぶつかん 大津市歴史博物館

大津や近江の歴史や文化を発信

大津や近江にまつわる歴史や文化の資料を中心に、収集や調査、展示を行う。年に2〜3回、地元に根差したテーマにスポットを当てた企画展を開催。高台に位置するため大津市街の眺望も楽しめる。DATA☎077-521-2100 住大津市御陵町2-2 ¥330円 ⏲9〜17時（入館は〜16時30分）休月曜（祝日の場合は翌日）、祝日の翌日（土・日の場合は開館）交京阪大津市役所前駅から徒歩5分 P60台 MAP折込表C4

おうさかやまかねよ ほんてん 逢坂山かねよ 本店

巻き重ねたきんし玉子が特徴的な鰻丼

明治5年（1872）創業の老舗鰻店。国産の日本うなぎを特製のタレで焼き上げたきんし丼が名物。香ばしい鰻の蒲焼の上には、卵3個を使って幾重にも巻きふんわりと焼いたきんし玉子がのる。道を挟んで向かいには気軽なレストランも。DATA☎077-524-2222 住大津市大谷町23-15 ⏲11〜20時LO 休木曜、ほか不定休あり 交京阪大谷駅から徒歩2分 P約50台 MAP折込表C5

てうちそばつるき 手打蕎麦鶴㐂

三百年の歴史を紡ぐ伝統のそば

創業以来約300年間伝統を守り続ける手打ちそばの店。その日の気温や湿度にあわせて配合を変えて打つ、ツルリとのど越しのいいそばが味わえる。国の登録有形文化財に指定されている築約140年の建物も風趣豊か。天ざるそば1860円は必食。DATA☎077-578-0002 住大津市坂本4-11-40 休11時〜15時30分LO（HP要確認）休毎月最終月曜（HP要確認）交京阪坂本比叡山口駅からすぐ P24台 MAP折込表D3

いろんなおにくとおうみやさいばる とらすぱれんて いろんなお肉と近江野菜バル trasparente

ボリューム満点サラダと土釜ごはん

約30種の近江野菜の色彩豊かなサラダと日替わりのお肉、近江米の土釜ごはんのランチが人気のイタリアンバル。お肉ランチ2300円に加え、予約限定近江牛ランチ4900円や近江牛と近江鶏ランチ5700円の滋賀満喫ランチが登場。DATA☎077-521-7720 住大津市馬場1-11-2第13森田ビル1階 ⏲11時30分〜14時LO、18時〜 休不定休 交JR膳所駅から徒歩4分 Pなし MAP折込表D5

ざ すまいる ちょこれーと しがほんてん
THE SMILE CHOCOLATE 滋賀本店

芳醇なカカオが香るチョコレート

丁寧に手作りするチョコレートが評判のショコラトリー。ナッツやドライフルーツ本来の風味とチョコレートのおいしさが融合したマンディアン各280円は、全16種類と豊富な品揃え。キウィフルーツやマンゴー、リンゴなどセミドライフルーツをチョコでコーティングしたディップフルーツは1188円。DATA☎077-599-4852 住大津市浜町9-25 ⏰11～19時 休水曜 交JR大津駅から徒歩7分 Pなし MAP折込表D5

おうみぎゅう かねきち
近江牛 かね吉

郷土料理「じゅんじゅん」に舌鼓

明治30年（1897）創業の近江牛専門店から始まった老舗料理店。近江の郷土料理であるすき焼き風鍋「じゅんじゅん」やステーキが味わえる。「じゅんじゅん」とは近江牛を焼く音を表しているそう。ランチの予算は6600円～で、おすすめはじゅんじゅんのコース「竹」9130円。DATA☎077-522-3744 住大津市馬場1-10-18 ⏰11時30分～21時LO（最終入店20時）休不定休 交JR膳所駅から徒歩10分 P7台 MAP折込表D5

せたのからはし
瀬田の唐橋

夕景が美しい近江八景の古橋

京都の宇治橋と山崎橋とともに日本三古橋に名を連ね、日本書紀にも登場する橋。都への交通や軍事の要衝だったことから承久の乱などさまざまな戦乱の舞台にもなった歴史をもつ。夕景の美しさでも名高く、「瀬田の夕照」として近江八景の一つに数えられている。DATA☎077-534-0706（石山駅観光案内所）住大津市瀬田1 ⏰散策自由 交京阪唐橋前駅から徒歩2分 P周辺駐車場利用 MAP折込表E6

たちきかんのん（あんようじ）
立木観音（安養寺）

800段の石段を上がって参拝

平安時代、42歳の厄年にあたられていた弘法大師が等身大の聖観世音菩薩を自ら彫って創建。厄除けや心願成就の観音様として厚く信仰されている。毎月17日の御縁日、土・日曜、祝日は参拝者で特に賑わう。DATA☎077-537-0008 住大津市石山南郷町奥山1231 ¥拝観無料 ⏰9～16時 休無休 交名神高速瀬田西ICから車で15分 P50台 MAP折込裏C6

くさつしりつすいせいしょくぶつこうえん みずのもり
草津市立水生植物公園 みずの森

どの季節でもスイレンを観賞

国内外の多彩な水生植物を観賞できる湖畔の植物公園。温室ではどの季節にもスイレンを観賞できるのが魅力。ハス味のソフトクリームも人気。DATA☎077-568-2332 住草津市下物町1091 ¥入園300円 ⏰9～17時、冬期は9時30分～16時（入館は～各30分前）休月曜（祝日の場合は翌平日）交JR草津駅から近江鉄道バス烏丸半島行きで25分、バス停水生植物公園みずの森下車すぐ P84台 MAP折込表F3

ほわいと れいんぼー
WHITE RAINBOW

近江牛のハンバーガーを堪能

テリヤキマヨやベジなど10種類以上のハンバーガーが揃う。イチオシは近江牛100%のパティを挟んだOMI牛バーガー1500円。つなぎなし、味付けは塩コショウのみで肉の味が最大限に引き出されて、噛むほどに濃厚な肉の味が広がる。DATA☎077-596-5716 住草津市大路1-17-5 ⏰11時30分～14時30分LO、18時～22時30分LO ※ランチは金～日曜、祝日のみ 休木曜、第1・3水曜 交JR草津駅から徒歩6分 Pなし MAP折込表F4

ひと足のばして 東海道五十三次の宿場町へ

東海道と中山道の合流点であり、江戸時代に宿場町として発展した草津宿の史跡を見学。

くにしていしせきくさつじゅくほんじん
国指定史跡草津宿本陣

江戸時代にタイムスリップ

庶民の宿を「旅籠」、大名や公家の休泊所を「本陣」と呼ぶ。全国最大規模を誇る格式高い田中七左衛門本陣を公開。DATA☎077-561-6636 住草津市草津1-2-8 ¥入館240円 ⏰9～17時（入館は～16時30分）休月曜（祝日の場合は翌平日）※2025年3月31日まで耐震工事のため休館予定 交JR草津駅から徒歩10分 P6台 MAP折込表F4

部屋数39室、畳268帖半もの広さ

くさつじゅくかいどうこうりゅうかん
草津宿街道交流館

草津宿についての情報を収集

草津宿本陣へ行く前に立ち寄りたい

江戸時代の草津を再現した模型や、浮世絵などを展示。浮世絵刷り体験や草津グッズの販売コーナーなども。DATA☎ 077-567-0030 住草津市草津3-10-4 ¥入館200円 ⏰9～17時（入館は～16時30分）休月曜（祝日の場合は翌日）、祝日の翌日 交JR草津駅から徒歩15分 P2台 MAP折込表F4

草津宿本陣の近くに、東海道五十三次の草津を描いた浮世絵風カラーマンホールがあるので探してみましょう。

ふむふむコラム fumu fumu

戦国武将の足跡を訪ねて 歴史ロマンが香る幻の名城巡り

国宝彦根城を擁する滋賀県には、かつて1300を超える城郭が築かれたそう。戦国の世を駆け抜けた、あの武将ゆかりの城跡を訪ねてみませんか。

おだのぶなが
織田信長

■生年～没年
1534～1582年
■人物解説
尾張国出身。桶狭間の戦いや長篠の戦いなどを経て天下統一の基盤を作った。鉄砲や南蛮貿易など新しいものを積極的に取り入れ、これまでにない独創的な安土城を築き天下統一への野心を示した。

近江八幡
あづちじょうせき
安土城跡

天下統一まであと一歩 信長が描いたの夢の跡

信長が天下統一への野望を込めて築いた山城、安土城の遺構。天守（天主）をもつ城は安土城が始まりとされる。現在は、全国の城郭建築の先駆けとなった穴太衆による石垣のほか、本丸跡などが残る。

DATA☞P45

歩いて30分ほどで着く山頂付近は、絶景スポット

あけちみつひで
明智光秀

■生年～没年
1528～1582年
■人物解説
岐阜県美濃の生まれと伝わる。織田信長の重臣として比叡山の焼き討ちなどで活躍。本能寺の変を起こして信長を討ったが、その後、羽柴秀吉に山崎の戦いで敗れた。

大津
さかもとじょうしこうえん
坂本城址公園

豪壮&華麗なレイクサイド城

元亀2年（1571）、明智光秀がびわ湖の水を引き入れて築いた坂本城の遺構の一つ。信長の安土城に次ぐほど豪奢な城だったと伝わる。公園から少し離れた場所に本丸跡も残る。

☎077-578-6565（坂本観光案内所）住大津市下阪本3-1 ¥休散策自由 交京阪松ノ馬場駅から徒歩20分 P10台 MAP折込表D3

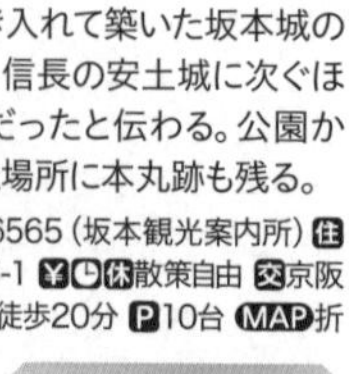

甲冑姿の光秀像が立ち、琵琶湖も間近に眺められる

とよとみひでよし
豊臣秀吉

■生年～没年
1537～1598年
■人物解説
農家の家に生まれる。信長に仕え、37歳で北近江の地を与えられて小谷城の城主となるが、長浜に新しく城を築く。各地を転戦した後、49歳で関白となり天下人となった。

長浜
ほうこうえん（ながはまじょうあと）
豊公園（長浜城跡）

野心を秘めた秀吉が 湖畔に築いた「出世城」

浅井攻めの軍功により、信長から北近江三郡を与えられた羽柴（豊臣）秀吉が初めて築いた居城が長浜城。城跡は緑豊かな公園となっており、園内に長浜城歴史博物館が立つ。

DATA☞P72

園内には太閤井戸など秀吉の遺構が残る

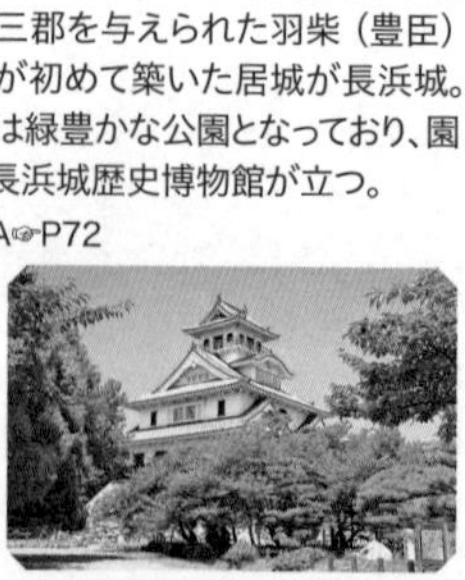

いしだみつなり
石田三成

■生年～没年
1560～1600年
■人物解説
豊臣秀吉に見いだされ、側近として生涯をささげた。戦のほか政治、経済面でもブレーンとして手腕を発揮したが、秀吉亡き後、関ケ原の戦いで徳川家康に敗れた。

彦根
さわやまじょうせき
佐和山城跡

秀吉に仕えた知将の居城 眺望抜群の山上へ

標高232.6mの佐和山に残る城跡。関ケ原に近い交通の要衝だったことから、近江守護佐々木氏により築城。後に石田三成が城主となり、5層の天守を構えたと伝わる。

☎0749-30-6120（彦根市観光交流課）住彦根市古沢町 交JR彦根駅から徒歩20分 P あり（無料）MAP折込裏F3

本丸跡から彦根城やびわ湖が一望できる

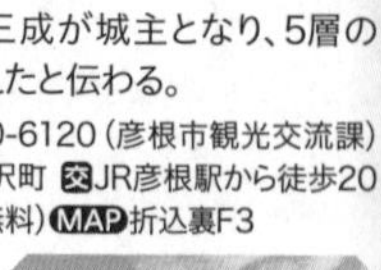

緑豊かな信楽の里で
温もりある器にひとめぼれ

愛嬌たっぷりのたぬきがシンボルの信楽は、
日本六古窯の一つに名を連ねる由緒ある町。
空気のおいしい、穏やかな山里で
器さがしや陶芸体験をのんびり楽しみませんか。

これしよう！

まずはじめは陶芸の森から

自然に癒されながら、信楽焼や7種の窯、屋外アートを見学。(☞P110)

これしよう！

暮らしに寄り添う器を探しに

窯元やギャラリーショップを巡り、お気に入りの焼き物を見つけて。(☞P112)

これしよう！

信楽焼の器でランチ&スイーツ

信楽焼の本場で、味わいのある器といっしょにカフェタイムを。(☞P114)

愛嬌あるたぬきが迎える焼き物の里

信楽

しがらき

陶芸の森内のショップも必見(☞P110)

信楽はココにあります！

こんなところ

ぽってりとした愛らしい姿のたぬきが待ち受ける信楽は、日本六古窯の一つ。奈良・平城京と京都・平安京の間の時代に幻の都「紫香楽」が造営された歴史深い地でもある。自然豊かな山里に点在する窯元や器のショップを訪ね歩いてみよう。

access

【バス】
●大津駅から
JR琵琶湖線新快速で10分の草津駅でJR草津線に乗り換え、貴生川駅下車。信楽高原鐵道に乗り換え、25分の信楽駅下車

【車】
●新名神高速信楽ICから
国道307号を約5kmで信楽

広域MAP 折込裏D6

～信楽 はやわかりMAP～

焼き物の里で窯元めぐり

窯元の定休日は異なるので事前にチェックして。(☞P110)

観光のヒント
坂道があるので歩きやすい靴で

緑豊かな山あいに位置する信楽の里。窯元をめぐるなら、坂を上がったり下がったりするので、歩きやすい靴を履いていこう。

信楽のシンボル巨大タヌキ像

年6回衣替えするという高さ5.3mの大タヌキ像が信楽駅前でお出迎え。

おすすめコースは

5時間

車も便利だけれど、四季折々の豊かな自然と澄んだ空気のなか歩いて巡るのもおすすめ。陶芸の森で焼き物のキホンを知ってから窯元やショップを訪ねれば、旅の満喫度がぐんとUP。

スタート 信楽高原鐵道 信楽駅
▶ 徒歩15分
1 見どころ 滋賀県立 陶芸の森
▶ 徒歩すぐ
2 レストラン 山とおむすび 銀月舎
▶ 徒歩17分
3 買い物 TSUBO-BUN
▶ 徒歩10分
4 買い物 Ogama
▶ 徒歩10分
5 カフェ cafe あわいさ
▶ 徒歩10分
ゴール 信楽高原鐵道 信楽駅

窯元で見る、知る、ふれる のどかな焼き物の里・信楽さんぽ

歩いて回って
約4時間

日本六古窯の一つ、信楽焼の町には窯元や器を扱う店が集まります。
豊かな自然を感じつつ、焼き物の魅力にふれてみませんか。

1

2

3

1 陶芸館では信楽焼をはじめ、国内外の陶芸作品に出会える 2 信楽産業展示館内のショップスペース 3 信楽のシンボル・タヌキの置物もバリエーション豊富に揃う 4 見晴らしが良く爽快な気分になれる。お弁当持参もいいかも 5 星の広場にはダイナミックな作品が屋外展示されている

徒歩20分

スタート！

しがけんりつ とうげいのもり

滋賀県立 陶芸の森

陶芸がテーマの施設で 信楽焼の魅力にふれる

小高い山の斜面に広がる、陶芸がテーマの都市型公園。陶芸専門の美術館「陶芸館」や、国内外の作家による屋外展示、信楽焼を展示販売する「信楽産業展示館」などからなる。

☎0748-83-0909 住甲賀市信楽町勅旨2188-7 ¥入園無料（陶芸館入館は別途）🕒9時30分～17時（陶芸館・信楽産業展示館の入館は～16時30分）休月曜（祝日の場合は翌日）交新名神高速信楽ICから車で約5㎞ P250台 MAP折込裏B1

4

5

登り窯での焼成を見学

7種の窯がある滋賀県立 陶芸の森（→P110）にある「窯の広場」では、保全と継承のため年に一度、秋に登り窯で焼成が行われる。迫力ある焼成を間近で見学できるので、事前に公式Webサイトで日程をチェックして訪れよう。

おおがま（めいざんがま）

Ogama（明山窯）

信楽の発展を支えた登り窯を間近に見る

江戸時代創業の窯元・明山窯直営のショップ。食器や花器、小物などを展示・販売しており、日常使いしたいアイテムが多数並ぶ。作業小屋を改装したカフェも併設している。

☎0748-82-8066 住甲賀市信楽町長野947 ⏲10時～16時30分 休水・木曜（祝日の場合は営業） 交新名神高速信楽ICから車で約7km P8台 MAP折込裏A1

1 ギャラリーや作陶体験ができる陶芸教室もある 2 引退した後に復活を遂げた登り窯を間近で見られる 3 ブレンドコーヒー450円と季節のケーキ450円～ 4 手のひらサイズのSHIGA★LUCKY1650円は全6色 5 シンプルで飽きのこないデザインのカップ&ソーサー2240円

徒歩5分

たにかんがまぎゃらりー とうほうざん

谷寛窯ギャラリー 陶ほうざん

自然の神秘と美を器に映し出す

3代目として40年以上信楽焼を作りつづける谷井芳山氏の作品が並ぶ。星空や雪、桜、鉱物など、自然やその仕組みから着想を得るという作品の数々は、眺めるほどに味わい深い。

☎0748-82-2462 住甲賀市信楽町長野788 ⏲10時30分～17時 休火曜 交信楽高原鐵道信楽駅から徒歩15分 P20台 MAP折込裏A1

1 明治時代の師範学校の講堂を移築し、工房とギャラリーを併設 2 雪と桜をモチーフにした、雪中華スイングカップ8800円 3 ラピスラズリ、金などをイメージした、直径26cmリム皿1万500円

陶芸体験

2名からの完全予約制。焼き上がりは1カ月後

しがらきけんぞう とうげいくらぶ

しがらき顕三 陶芸倶楽部

電動ろくろで器づくり

信楽焼の職人さんの手ほどきを受けながら作陶体験にチャレンジできる。電動ろくろでお皿や茶碗作りに挑戦してみよう。

☎0748-82-2216 住甲賀市信楽町長野755-1 ⏲10～17時 休不定休（要問合せ） 交新名神高速信楽ICから車で約7km P10台 MAP折込裏A1

心ときめく器を探しに 信楽焼のギャラリー&ショップ巡り

美しく、使い心地も良く、それでいて価格もお手頃な信楽焼。
心豊かな毎日を叶えてくれる、素敵な器探しを楽しみましょう。

1ギャラリーの窓から竹林が望める 2倉庫を再生したショップ。店頭に並ぶ作品は随時変わる 3十草リバーシブル皿4400円～ 4十草コーヒーカップ3850円、十草正方皿3080円※画像はイメージ 5小鉢としても使えるポン酢ボウル2530円

つぼ-ぶん

TSUBO-BUN

老舗が創り出すスタイリッシュな器

文久2年（1862）創業の窯元。5代目の奥田章さんが作るスタイリッシュなデザインの器は、使いやすく、料理も引き立つと人気。リバーシブルで使える、実用性の高いシリーズなども豊富に取り揃える。

☎0748-82-3153 住甲賀市信楽町長野1087 ⏰10～17時 休月曜、第2・4火曜 交新名神高速信楽ICから車で約7km P10台 MAP折込裏A1

まるじゅうせいとうこんてんつ

丸十製陶CONTENTS

洋食にも合うモダンなデザイン

信楽焼の小物や照明を手がけてきた丸十製陶のショールーム。ポップでモダンなデザインの皿やコップなどの器をはじめ、窯に伝わる藍色の釉薬をベースにしたシリーズも。

☎0748-82-0258 住甲賀市信楽町神山499 ⏰10～17時 休不定休 交信楽高原鐵道信楽駅から徒歩30分 P2台 MAP折込裏D6

1定番からここでしか買えない商品まで幅広く揃う 2ボーダーサラダカップ1980円 3直径14.5cmの取り皿 鎬ターコイズ1650円 4カラーC/S各2640円。使い込むと釉薬部分に味が出てくる

信楽焼のたぬきは縁起物

信楽焼を象徴するたぬき。頭にかぶる笠は思いがけない災難から身を守る、大きな目は物事を正しく見る、太っ腹は落ち着いて決断力を備える、腰にぶらさげた徳利は飲食に困らず徳をもつなど、8つの縁起「八相縁起」が込められている。

もうひとつのうつわのしごと

もうひとつの器のしごと

オープンの日曜が待ち遠しい日々の暮らしに馴染む器

植物がもつ自然のフォルムを取り入れながら、使い手に寄り添った器を提案するショップ。ありそうでなかった器や小物を展示販売。

☎090-4305-6662 住甲賀市信楽町長野1318 🕒日曜の11～17時 休月～土曜 交信楽高原鐵道信楽駅から徒歩11分 P5台 MAP折込裏B1

1

2

3

1白が基調のシンプルな空間 2逆さにすると飲み物を注げる、sakecup4400円 3並べて飾りたい、お家オブジェ2200円

うざんがま

卯山窯

伝統技法をベースに新しい感性を吹き込む

現代のライフスタイルに合った器を提案。土の調合技術により生まれた、光を通す陶器「信楽透器」の照明や器にも注目。

☎0748-82-0203 住甲賀市信楽町長野789 🕒10～17時 休不定休 交信楽高原鐵道信楽駅から徒歩10分 P3台 MAP折込裏A1

2

3

1

1創業から80余年。現在は「生活を『照らす』」器などを製作 2信楽透器 煎茶器1万3200円。絞りだして注ぐタイプ 3軽やかな質感と乳白色が特徴。信楽透器 マーブル湯呑各3300円

ぎゃらりーやすお

ギャラリー YASUO

独自の釉薬で生まれる個性派の器たち

安兵衛窯の5代目・奥田安正さんと、息子の安之さん、正道さんの作品が並ぶ。安正さんが独自に開発した釉薬を使う器や土鍋は、日本各地の料理人からも評判。

☎0748-82-0090 住甲賀市信楽町長野620-1 🕒11～17時 休不定休 交信楽高原鐵道信楽駅から徒歩10分 P3台 MAP折込裏A1

1

2

1個性的な器が並び、眺めているだけで心が弾む 2たっぷり飲める、持ちやすい手つきマグカップ各5500円～

「日本六古窯」は、信楽焼のほか、福井「越前焼」、愛知「瀬戸焼」「常滑焼」、兵庫「丹波焼」、岡山「備前焼」を指します。

信楽焼の器がおいしさを引き立てる ランチ＆スイーツで至福のひととき

焼き物の本場・信楽でのランチ＆カフェタイムは器にもときめきます。
風合いや手ざわりの良さと相まって、おいしさも格別です。

ぎゃらりーあんどかふぇ えんそう

Gallery&Cafe ENSOU

緑の森に包まれた古民家カフェ

京都で四代にわたって続く窯元・嘉祥窯（かしょうがま）が手がけるショップ&カフェ。常時10種以上並ぶタルトが評判。カフェで提供されるメニューの器はすべて陶芸家・森岡嘉祥さんの作品。

☎0748-83-1236 住甲賀市信楽町牧15 ⏰12時30分～17時 休日～水曜 交新名神高速信楽ICから車で約1km P20台 MAP折込裏D6

1 タルトやケーキ500円～は売り切れ必至のため、予約がベター 2 カフェで気に入った器はショップで購入できる 3 鳥のさえずりも聞こえる自然豊かなロケーション 4 築200年以上の時を紡ぐ古民家をリノベーション

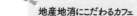

地産地消にこだわるカフェ

雑貨スペースにカフェを併設する古民家cafe あわいさ(→P116)で使用する器も、地元の窯元や作家が手がけたもの。体にやさしいランチやスイーツでほっとひと息つこう。

やまとおむすび ぎんげつしゃ

山とおむすび 銀月舎

信楽焼の羽釜で炊く ふっくらおむすび

二十四節気ごとに新しい味が登場するおむすびと、スープの滋味豊かなランチは、10種あるおむすびから具材を選べる。自家焙煎するほうじ茶を使ったドリンクやケーキ、パフェもおすすめ。

☎0748-83-2882 住甲賀市信楽町勅旨2188-7県立陶芸の森 産業展示館内 🕒11～17時(16時LO)※ランチは15時LO 休月曜(祝日の場合は翌日) 交新名神高速信楽ICから車で約5km P施設駐車場250台 MAP折込裏B1

1 自家製豆腐も付いた、お魚の定食1760円 2 滋賀県立 陶芸の森の信楽産業展示館内にある 3 ほうじ茶シフォンケーキとコーヒーのセット1100円 4 明るい日差しが降り注ぐ開放的な店内

うおせん

魚仙

地元近江の食材が 信楽焼の器を彩る

大正2年(1913)創業の老舗料理店。京都の有名料亭で修業を積んだ店主が、信楽産米や近江野菜など地元食材を生かした和食を提供する。店主がセレクトした信楽焼の器も魅力。

☎0748-82-0049 住甲賀市信楽町長野1334-2 🕒11時30分～14時、16～21時 休月曜(祝日の場合は翌日) 交新名神高速信楽ICから車で約6km P30台 MAP折込裏B1

1 お得感のある季節の点心2420円ほか、全10品の特別会席も 2 掘りごたつ式の座敷やカウンター席もある 3 通りでひときわ目を引く大きな店構え

陶芸の森の敷地内にある山とおむすび銀月舎では、晴れた日にはピクニックシートを無料で貸してもらえます。

ココにも行きたい

信楽周辺のおすすめスポット

こうかししがらきでんとうさんぎょうかいかん
甲賀市信楽伝統産業会館

信楽観光のスタートはここから

日本六古窯の一つ、信楽焼についての概要や歴史を紹介するパネル、資料、伝統的作品などを展示している。観光協会が併設されており、信楽に関連したパンフレットも充実。随時信楽焼の企画展示も開催しているので、信楽観光の前に立ち寄りたい。DATA ☎0748-82-2345 住甲賀市信楽町長野1203 ¥入館無料 ⏰9～17時 休木曜(祝日の場合は翌日) 交信楽高原鐵道信楽駅から徒歩3分 P100台 MAP折込裏A1

ぎゃらりーうらく
ギャラリー有楽

現代に合う作家の作品を展示販売

現代の生活様式に合う信楽焼を作り続ける作家の作品を厳選して集めたギャラリー。信楽を代表する作家から気鋭の若手作家まで幅広く揃う。随時作品が入れ替わる常設展が中心。壺や花入れ茶器、普段使いにしたい手ごろな食器などを扱う。DATA ☎0748-83-0759 住甲賀市信楽町牧1795 ¥入館無料 ⏰9時30分～18時(冬季は～17時) 休不定休 交信楽高原鐵道雲井駅から徒歩5分 P9台 MAP折込裏D6

そうとうえん
宗陶苑

日本最大規模の登り窯を有する窯元

山の傾斜を利用した登り窯としては日本最大規模を誇る窯元。約1万5000㎡の広大な敷地にたくさんの焼き物が並ぶ様は壮観。信楽のシンボルである狸の置物をはじめ、食器、茶道具など多彩な信楽焼を展示・販売するほか、人気の陶芸体験2000円～(要予約)も実施している。DATA ☎0748-82-0316 住甲賀市信楽町長野1423 ⏰8時30分～17時30分 休無休 交信楽高原鐵道信楽駅から車で5分 P50台 MAP折込裏A1

しまきちとうぼう
嶋吉陶房

使いやすく飽きのこない器

窯を守り続けてきた嶋田浩造さんが日常使いしやすい器を作りたいという思いで営む工房兼ショップ。皿やカップ、茶碗といった作品の作陶風景を見られることも。鉄粉の風合いが素敵な茶碗1500円～など良心的な価格で提供。気軽に入りやすい雰囲気も魅力の一つ。DATA ☎0748-82-0154 住甲賀市信楽町長野1010 ⏰9～18時 休不定休 交信楽高原鐵道信楽駅から徒歩12分 P2台 MAP折込裏A1

ろくろたいけんこうぼう ゆうきとうしゃ
ろくろ体験工房 遊器陶舎

焼き物の本場で陶芸体験に挑戦

信楽焼を扱うマルタカ陶器の一角にある、木のぬくもりが感じられる陶芸教室。粘土遊びのような感覚で気軽に作陶できる手びねり基本コースは2000円～、本格的な電動ろくろコースは3800円～。できあがった作品は焼成し、30～40日後に配送してくれる。DATA ☎0748-83-0570 住甲賀市信楽町勅旨2344 ⏰10時～17時30分 休木曜 交信楽高原鐵道信楽駅から徒歩15分 P20台 MAP折込裏B1

てうちそばどころ くろだえん
手打ちそば処 黒田園

信楽焼の器で香り高いそばを堪能

福井県から移築したという大きな古民家を活用したそば処。国産そば粉100%とミネラル豊富な水を使って手打ちしたそばは、香り高く見た目も美しいと評判。使用する器が地元の信楽焼なのも魅力の一つ。もりそば1150円～。DATA ☎0748-84-0485 住甲賀市信楽町上朝宮271-1 ⏰11時～16時30分LO(売切れ次第閉店) 休月曜、第1、3火曜(祝日の場合は翌日) 交信楽高原鐵道信楽駅から車で10分 P22台 MAP折込裏D6

ほんかくさぬきうどん きらくや
本格讃岐うどん 亀楽屋

できたての讃岐うどんを信楽焼で

信楽焼の陶器店・コタニ陶器の店主がうどんのおいしさに魅了され、自身でうどん専門店をオープン。コシのあるできたてのうどんが信楽焼の器で味わえる。プリプリのえびとサクサクの揚げ餅の食感が絶妙な、海老と揚げ餅のぶっかけ1300円。DATA ☎0748-82-2201 住甲賀市信楽町長野1248-1 ⏰11～15時 休月曜(祝日、イベント期間は営業) 交信楽高原鐵道信楽駅から徒歩6分 P23台 MAP折込裏A1

かふぇ あわいさ
cafe あわいさ

古民家カフェでホッとひと息

ノスタルジックな雰囲気の古民家カフェ。地元でとれた野菜を使ったヘルシーメニューを、信楽の窯元や作家が手がけた器で味わえる。貸しギャラリーではさまざまな作家の作品を展示。ライブイベントを開催するなどアート&カルチャーの発信基地でもある。DATA ☎0748-60-2160 住甲賀市信楽町長野903-2 ⏰11～17時 休日・月・火曜、1・2月は冬季休業 交信楽高原鐵道信楽駅から徒歩10分 P9台 MAP折込裏A1

とらさる
TORASARU

スタイリッシュなギャラリー&カフェ

アーティストたちの作品が並ぶ、スタイリッシュなギャラリーカフェ。吟味した素材で手作りするチーズケーキは、チーズ本来のコクと酸味が引き立つ贅沢な味わい。カッテージチーズケーキ570円と今月のコーヒー550円。DATA ☎0748-83-1186 住甲賀市信楽町勅旨1970-4 ⏰11～18時LO 休水曜(ほか不定休あり) 交信楽高原鐵道信楽駅から徒歩20分 P2台(第2駐車場あり) MAP折込裏C1

山本園 WITH TEA
（やまもとえん うぃず てぃー）

茶舗直営のティールームで一服

信楽は平安時代から茶の産地であり、朝宮茶として有名。山本園では地元朝宮で生産された朝宮茶を販売し、朝宮上煎茶880円や朝宮茶を使ったスイーツ、ご当地みやげが揃う。朝宮茶の抹茶蜜がたっぷりかかったかき氷「あさみや金時」1210円は話題の一品。DATA☎0748-84-0014 住甲賀市信楽町上朝宮275-1 ⏰11～17時 休月曜・第4火曜（祝日の場合は翌日）交信楽高原鐵道信楽駅から車で12分 P50台 MAP折込裏D6

お茶の洞之園
（おちゃのほらのえん）

日本茶と和菓子のマリアージュ

信楽名産の朝宮茶などを販売する日本茶専門店。抹茶ぜんざい600円やわらび餅400円など、日本茶と相性の良い和菓子も充実しているので一緒に味わうのもおすすめ。昔ながらの趣を残す店内は時の流れがゆっくり感じられる。DATA☎0748-84-0115 住甲賀市信楽町上朝宮249-1 ⏰9時～16時30分LO 休水・第2木曜（祝日の場合は営業）交信楽高原鐵道信楽駅から車で10分 P20台 MAP折込裏D6

旧水口図書館
（きゅうみなくちとしょかん）

ヴォーリズの近代建築

近江八幡を拠点とし、全国に多くの洋館を残したヴォーリズが手がけた昭和3年(1928)築の洋館。半円アーチの窓などが特徴で、国の登録有形文化財。毎月第2・4日曜に内部公開を行い、さまざまなイベントを実施している。DATA☎なし 住甲賀市水口町本町1-2-1（甲賀市立水口小学校内）¥入場無料 ⏰休内部公開は毎月第2・4日曜の10～16時 交近江鉄道水口石橋駅から徒歩7分 P小学校駐車場を利用 MAP折込裏E5

大池寺
（だいちじ）

小堀遠州ゆかりの蓬萊庭園

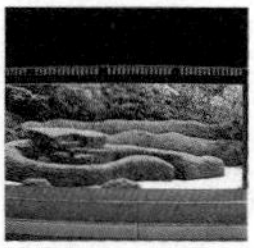

奈良時代に僧・行基が開いた古刹。小堀遠州が手がけた枯山水の蓬萊庭園は、立体的なサツキの刈り込みが特徴で、大海原をゆく宝船を表しているという。「甲賀三大仏」の一つ、本尊の釈迦如来坐像も見逃せない。DATA☎0748-62-0396 住甲賀市水口町名坂1168 ¥拝観400円 ⏰9～17時（12月は～16時）休不定休 交JR貴生川駅から甲賀市コミュニティーバスで20分、バス停大池寺から徒歩3分 P50台 MAP折込裏E5

油日神社
（あぶらひじんじゃ）

油の火の神様を祀る古社

六国史『日本三代実録』の記述によると、元慶元年（877）以前の創建という。中世以降は甲賀の総社として甲賀武士（忍者）達の信仰を集めた。本殿と拝殿、楼門、回廊はいずれも室町時代の建築で、古色蒼然としたたたずまいを残すことから時代劇のロケ地となることも多い。DATA☎0748-88-2106 住甲賀市甲賀町油日1042 ¥⏰休参拝自由 交JR油日駅から徒歩30分 Pおよそバス8台分 MAP折込裏E6

甲賀流忍術屋敷（甲賀望月氏本家旧邸）
（こうかりゅうにんじゅつやしき（こうかもちづきしほんけきゅうてい））

今に残る本物の忍者の屋敷

甲賀流忍者甲賀五十三家筆頭格の甲賀望月氏本家旧邸を公開。江戸時代元禄年間に建てられた内部には防御建築としての多くの巧妙なからくりが施された本物の忍術屋敷。からくりをあやつったり、鉄製の手裏剣投げなどの忍者体験も人気。DATA☎0748-86-2179 住甲賀市甲南町竜法師2331 ¥入場650円 ⏰10時～16時30分受付（土・日曜、祝日は9時30分～16時30分受付）休水・第4木曜 交新名神高速道路甲南ICから車で3分 P50台 MAP折込裏E6

ひと足のばして 紅葉の名所・湖南三山へ

国宝の本堂を擁する天台宗三古刹の総称が湖南三山。巡るなら車でのアクセスが便利。

常楽寺
（じょうらくじ）

紫香楽宮を守護した古刹

奈良時代、元明天皇の勅命により僧・良弁が開創。国宝の本堂と三重塔、千手観音などの仏像群も必見。DATA☎0748-77-3089 住湖南市西寺6-5-1 ¥拝観600円 ⏰10～16時（要予約）休不定休 交JR石部駅からコミュニティバス「めぐるくん」で約12分、バス停西寺から徒歩4分 P60台 MAP折込裏D5

長寿寺
（ちょうじゅじ）

湖南三山最古の寺

聖武天皇が、皇女の長寿祈願と紫香楽宮守護のために建立。子宝・安産・長寿のご利益がある。DATA☎0748-77-3813 住湖南市東寺5-1-1 ¥拝観600円 ⏰9～16時 休無休（1～3月の拝観は要予約）交JR石部駅からコミュニティバス「めぐるくん」で約15分、バス停長寿寺から徒歩すぐ P20台 MAP折込裏D5

善水寺
（ぜんすいじ）

病気平癒の霊水が湧く

最澄が献上したこの寺の池水で桓武天皇の病が癒えたことが寺号の由来。DATA☎0748-72-3730 住湖南市岩根3518 ¥拝観600円 ⏰9～16時（夏期は～17時）※受付は各30分前まで 休無休 交JR甲西駅からコミュニティバス「めぐるくん」で約7分、バス停岩根から徒歩10分 P80台 MAP折込裏D5

湖南三山の一つ長寿寺の参道は、四季折々に和傘やかざぐるまなどで彩られ、訪れる人の心を癒してくれます。

自然豊かな森の中にたたずむ まるで桃源郷「MIHO MUSEUM」

緑あふれる湖南の山に包まれた美術館「MIHO MUSEUM」。
自然と調和した美しい空間と希少な美術品の数々を見に、ひと足のばして。

エントランスホール

建築では美術館棟のエントランスホールが一番の見どころ。幾何学模様と自然光の競演に思わずため息がこぼれる

最初に現れる建物がレセプション棟。チケット売り場やインフォメーション、レストランなどがある

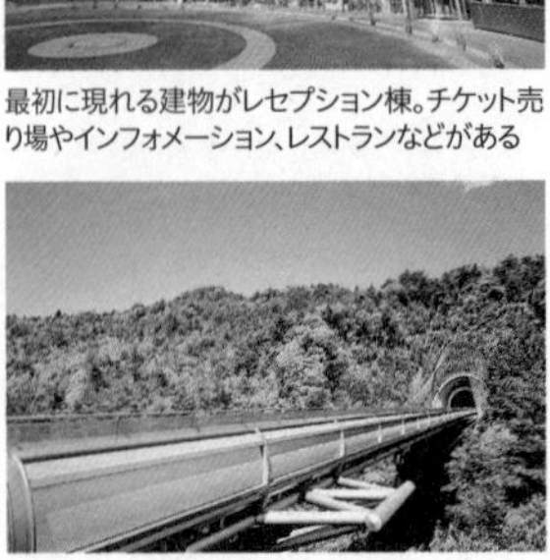

トンネルを抜けたら、森の上に架かる120mの長い吊り橋を渡って美術館棟へ向かおう

トンネル

コンクリートではなくステンレスパネルを貼っているため、四季折々の色彩が映り込む。トンネルの手前にはしだれ桜の並木があり、トンネル越しに眺めると幻想的な景色に

トンネルにうつろう四季

美しいしだれ桜で知られるMIHO MUSEUM。瑞々しい新緑や秋の紅葉も美しさも、カメラのシャッターを押さずにはいられなくなるほど。ちなみに、休館中の冬の雪景色も言葉に尽くせないほどなのだとか。

美術館棟

自然との調和をテーマに、建物の容積の80%以上を地中に埋め込んだ造り。南館ではエジプト、西アジア、ギリシア・ローマ、南アジア、中国・西域の5つの展示室で世界の古代美術を、北館では季節ごとに特別展を開催

エジプト新王国時代の隼頭神像。髪にはラピスラズリが

2世紀後半のものとされる「ガンダーラ仏立像」

400年ほど前のペルシャ絨毯などを展示する中国・西域展示室

古代エジプトの女神像などが展示されている部屋

みほ みゅーじあむ

MIHO MUSEUM

世界的建築家が設計 空間美にも注目

ルーヴル美術館のガラスのピラミッドで知られ、「幾何学の魔術師」と称される世界的建築家のI.M.ペイ氏が、漢詩に描かれた桃源郷の世界をモチーフに設計。しだれ桜の並木道を経て、長いトンネルをくぐった先に美術館棟が現れるというアプローチが気分を高めてくれる。

☎0748-82-3411 住甲賀市信楽町田代桃谷300 ¥入館1300円 ⏰10～17時（入館は～16時）休月曜（祝日の場合は翌平日）※2024年は3月3日～6月9日、7月6日～9月1日、9月28日～12月25日に開館予定 交JR石山駅から帝産バスで50分、バス停MIHO MUSEUMからすぐ。または、新名神高速道路信楽ICから車で20分 P300台 MAP折込裏D6

ミュージアム café&shop

美術館棟にミュージアムショップとカフェ、レセプション棟にレストランがあり、いずれも農薬・肥料不使用にこだわった食材を使っている。メニューも充実しているので、美術鑑賞の前後に立ち寄って。

抹茶と和菓子のセット

明るい光が差し込むカフェ「Pine View」

レセプション棟から美術館棟までは約500m。歩くと気持ちいい道ですが、電気自動車も利用できます。

滋賀への交通

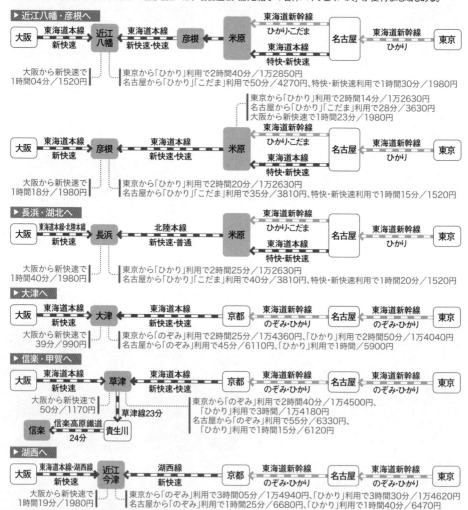

滋賀県内には空港がないため、遠方からのアクセスは東海道新幹線や東海道本線（通称：琵琶湖線）などの鉄道がメインとなる。

東京・大阪・名古屋から各地へ

東京・名古屋方面からは東海道新幹線、大阪方面からはJRの新快速が便利。新幹線はびわ湖の東岸を走っており、県内唯一の新幹線停車駅・米原駅には「ひかり」の一部と「こだま」が停車。「のぞみ」を利用の場合は京都駅で東海道本線・湖西線に乗り換える。なお、湖東・湖南地区へは、名古屋と大阪を結ぶ「名神ハイウェイバス」が便利な地域もある。

▶近江八幡・彦根へ

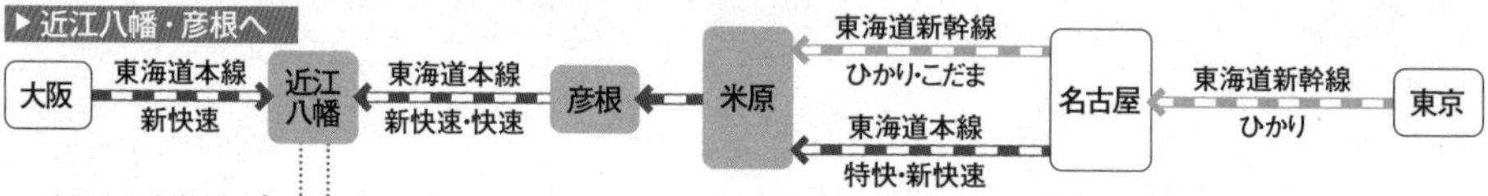

大阪から新快速で
1時間04分／1520円

東京から「ひかり」利用で2時間40分／1万2850円
名古屋から「ひかり」「こだま」利用で50分／4270円、特快・新快速利用で1時間30分／1980円

東京から「ひかり」利用で2時間14分／1万2630円
名古屋から「ひかり」「こだま」利用で28分／3630円
大阪から新快速で1時間23分／1980円

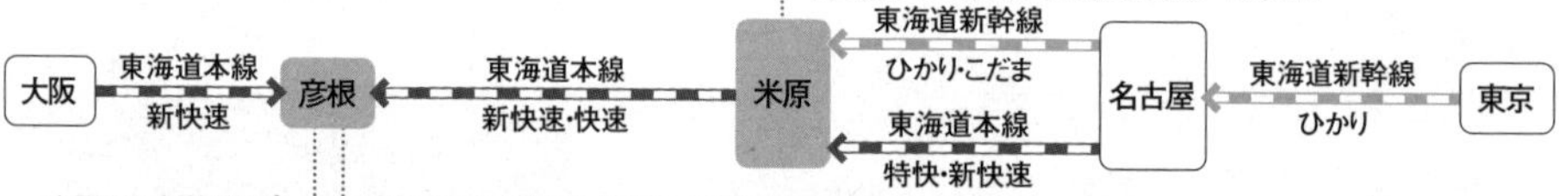

大阪から新快速で
1時間18分／1980円

東京から「ひかり」利用で2時間20分／1万2630円
名古屋から「ひかり」「こだま」利用で35分／3810円、特快・新快速利用で1時間15分／1520円

▶長浜・湖北へ

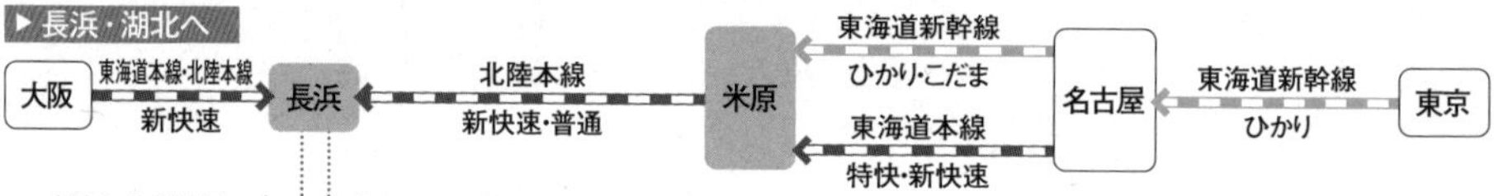

大阪から新快速で
1時間40分／1980円

東京から「ひかり」利用で2時間25分／1万2630円
名古屋から「ひかり」「こだま」利用で40分／3810円、特快・新快速利用で1時間20分／1520円

▶大津へ

大阪から新快速で
39分／990円

東京から「のぞみ」利用で2時間25分／1万4360円、「ひかり」利用で2時間50分／1万4040円
名古屋から「のぞみ」利用で45分／6110円、「ひかり」利用で1時間／5900円

▶信楽・甲賀へ

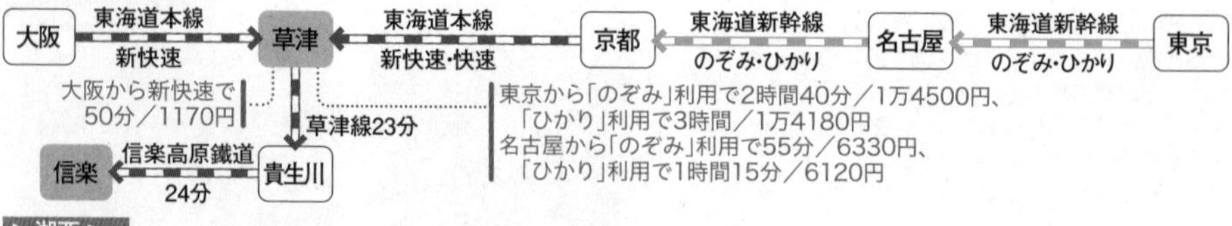

▶湖西へ

大阪から新快速で
1時間19分／1980円

東京から「のぞみ」利用で3時間05分／1万4940円、「ひかり」利用で3時間30分／1万4620円
名古屋から「のぞみ」利用で1時間25分／6680円、「ひかり」利用で1時間40分／6470円

※所要時間は目安で、乗り換え時間は含みません。
※新幹線のねだんは通常期に普通車指定席を利用した場合のものです。

ドライブ情報

●県外からのアクセス

京阪神方面から滋賀県内へは、名神高速道路でのアクセスが基本。途中、京滋バイパスを経由しても高速料金は変わらない。名古屋方面からも名神高速道路でのアクセスが一般的。ただし、大津や信楽などの湖南地区へは、東名阪自動車道～新名神高速道路のアクセスが便利な出発エリアもある。

●県内の移動

ポイント1 県内のメインの国道は、びわ湖をぐるりと取り囲むように走る国道8号と161号。びわ湖を一周する湖岸道路も信号が比較的少ないので快適に走れる。

ポイント2 びわ湖南部の両岸を行き来する際には、琵琶湖を跨ぐ近江大橋と琵琶湖大橋(有料)が便利で重宝する。

ポイント3 湖西方面へは、名神高速道路を京都東ICで下りて、国道161号西大津バイパスを北上するのが便利。坂本から北は湖西道路、さらに志賀バイパスと続いており、快適に走れる。

ポイント4 比叡山へは、京都と大津を結ぶ山中越の田ノ谷料金所と、延暦寺東塔を結ぶ比叡山ドライブウェイ(有料)を利用。緑の山並みと、びわ湖や京の町のワイドな眺望を楽しめる、快適なドライブコースだ。延暦寺から先は奥比叡ドライブウェイと名前が変わり、雄琴へ抜けられる。

滋賀での鉄道移動

滋賀県内のJR線は、びわ湖を囲むように東海道本線(通称・琵琶湖線)、北陸本線、湖西線が走っており、草津から甲賀方面を結ぶ草津線もある。私鉄は、京阪電車の石山坂本線・京津線が大津エリアを走っており、沿線に点在する観光ポイントへの利便性が高い。湖東では、近江鉄道が八日市を中心に近江八幡方面、彦根・米原・多賀大社方面、日野・水口・貴生川方面を結んでいるほか、貴生川と信楽を結ぶ信楽高原鐵道もある。

滋賀でのバス移動

滋賀県内のバスは、大きく分けると大津周辺は京阪バス、大津から湖西方面は江若交通、大津から湖南・湖東方面は近江鉄道バス、湖東から湖北方面は湖国バス(近江鉄道の子会社)がメイン。ほかに、近江今津駅から小浜方面を結ぶ西日本JRバスなどがある。大津市内などを除き、便数が少ない路線も多いので、運行時刻の確認を。紅葉時期など観光シーズンには、臨時バスも走る。

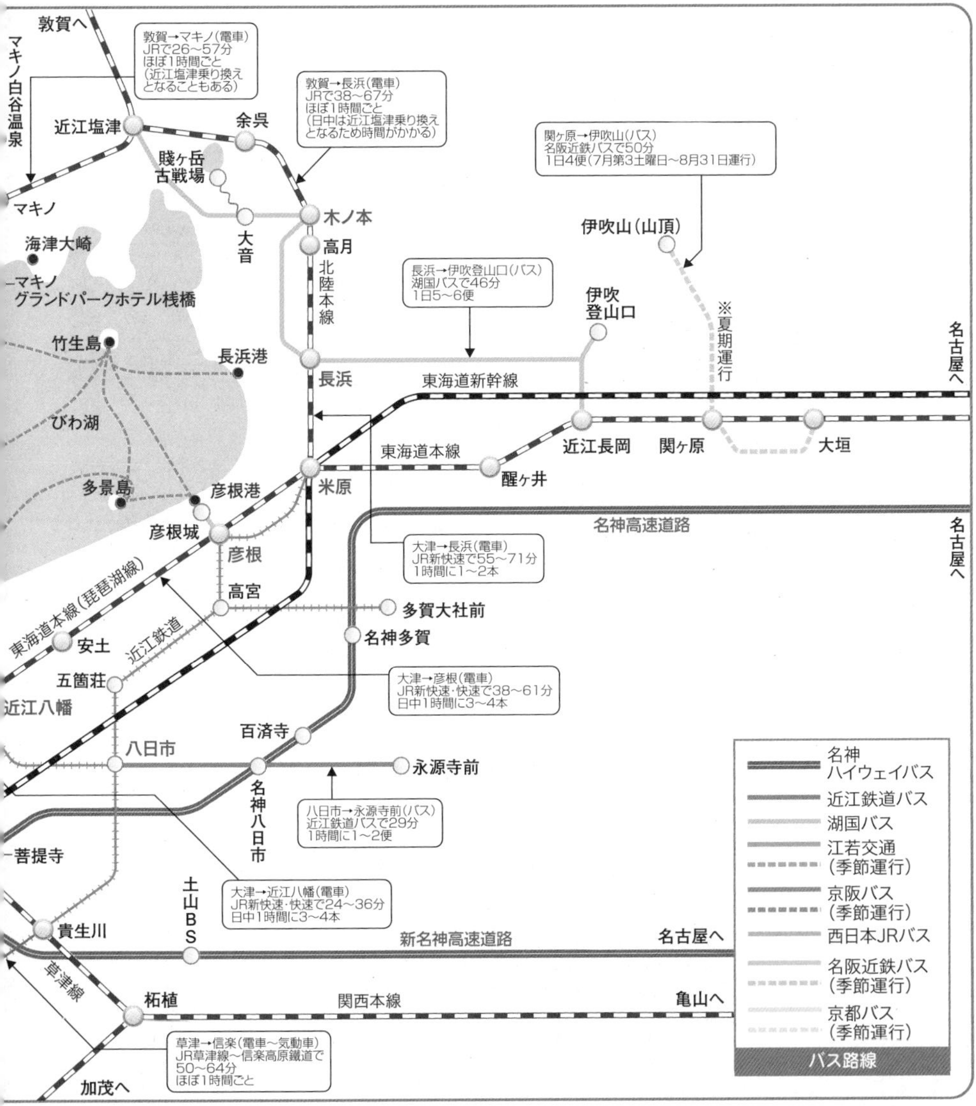

滋賀の旅をもっと楽しみたいから。知っておきたいあれこれ

季節ごとに表情を変える自然豊かな滋賀県には、花の名所が点在。
また、お祭りやびわ湖の花火大会を目当てに旅するのもおすすめです。

一度は見ておきたい 祭り&イベント

3月中旬の土・日曜 左義長まつり

日牟禮八幡宮の例祭で、織田信長も参加したと伝わる。多様な食材で作るその年の干支にちなんだ「ダシ」が見もの。

☎0748-33-6061（近江八幡駅北口観光案内所）MAP P60A3

4月9日～17日 長浜曳山まつり

長濱八幡宮の祭礼で日本三大山車祭りの一つ。煌びやかな山車で行なう子ども歌舞伎が最大の見どころ。

☎0749-53-2650（長浜観光協会）MAP P84C1

5月3日 鍋冠まつり

筑摩神社の祭礼で日本三奇祭の一つ。狩衣姿の少女たちが張り子の黒鍋を冠り、御旅所から練り歩く。

☎0749-51-9082（びわ湖の素DMO）MAP 折込裏F2

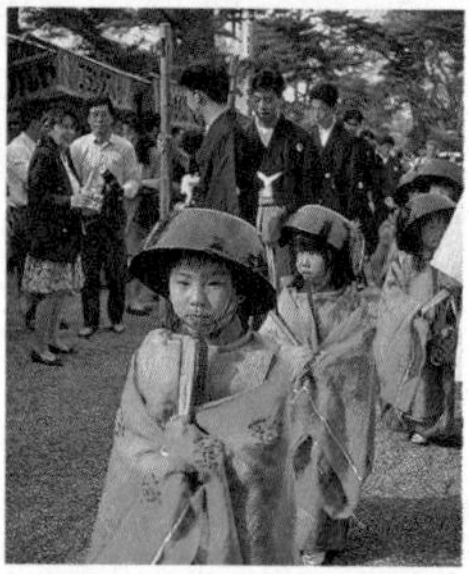

10月上旬 大津祭

江戸時代初期から行われてきた、天孫神社の例祭。ハイライトは絢爛豪華な13基の曳山巡行。

☎077-525-0505（NPO大津祭曳山連盟）MAP 折込表D5

8月8日前後 びわ湖大花火大会

大津港一帯に約一万発もの花火が打ち上る、湖国の夏を飾る一大風物詩。花火が湖面に映り、幻想的な美しさ。

☎050-5536-3944（びわ湖大花火大会コールセンター）
MAP 折込表D4

季節の訪れが待ち遠しい 花名所

4月上旬～中旬 海津大崎の桜

およそ800本ものソメイヨシノが約4kmにわたり湖岸を縁取る。滋賀県を代表する桜の名所。

☎0740-33-7101（びわ湖高島観光協会）住高島市マキノ町海津 ¥時休散策自由 交JRマキノ駅からタウンバスで6分、海津1区下車すぐ Pなし MAP折込裏D1

4月上旬 琵琶湖疏水の桜

びわ湖と京都をつなぐ近代化産業遺産に沿って桜並木が続く。ライトアップも見逃せない。

☎075-672-7709（京都市上下水道局総務課）住大津市三井寺町 ¥時休散策自由 交JR京阪三井寺駅から徒歩5分 Pなし MAP折込表C4

4月下旬～5月上旬 三大神社の藤

樹齢約400年ともいわれる「砂擦りの藤」が有名。毎年5月3日のサンヤレ踊りも必見。

☎090-6247-2240（藤古木保存会）住草津市志那町309 ¥時休境内自由（4月下旬～5月上旬は協力金200円）交JR草津駅から近江鉄道バス琵琶湖博物館行きで10分、北大萱下車、徒歩5分 P50台（見頃の季節のみ）MAP折込表F3

4月下旬～5月上旬 総持寺の牡丹

豊臣秀吉ゆかりの境内に約50種類700株の大輪が咲き誇る、県内随一の牡丹の名所。

☎0749-62-2543 住長浜市宮司町708 ¥入山400円（ボタンの時期のみ）、宝物拝観は要予約（別途500円）時9時～16時30分 休不定休 交JR長浜駅から湖国バス近江長岡駅行きで15分、宮司北下車徒歩すぐ P30台 MAP折込裏F2

7月上旬～8月上旬 近江妙蓮公園の蓮

慈覚大師が中国から持ち帰ったと伝わる近江妙蓮は守山市の市花に指定されている。

☎077-582-1340 住守山市中町39 ¥入園200円 時9～17時（開花時期は延長あり）休月～木曜（6～9月は火曜）交JR守山駅から近江鉄道バスで10分、田中下車、徒歩3分 P11台 MAP折込表G2

7月中旬～10月下旬 びわこ箱館山の花畑

1万株のペチュニアや、サルビア、ヒマワリなどの花畑が展望エリアに広がる。秋に紅葉するコキアも必見。

DATA☞P20

7月下旬～8月中旬・10月下旬～11月下旬 あいとうマーガレットステーションの向日葵

のどかな田園地帯に、夏は2万株、秋は1万株のヒマワリが咲き誇る。摘み取り体験も。

☎0749-46-1110 住東近江市妹町184-1 時9時～17時30分（季節により異なる）休火曜（祝日の場合は営業）交名神高速道路八日市ICから車で10分 P194台 MAP折込裏F4

9月中旬～下旬 桂浜園地

びわ湖の畔にまるで赤いじゅうたんを敷いたように彼岸花が群生。茜色の夕景に映える。

☎0740-33-7101（びわ湖高島観光協会）住高島市今津町桂 ¥時休散策自由 交近江今津駅からあいあいタウン線（予約乗合タクシー）で10分、北仰東下車、徒歩10分 Pなし MAP折込裏D2

INDEX さくいん

滋賀 びわ湖 近江八幡 彦根 長浜

あ

か

さ

観光見どころ　寺院　神社　プレイスポット　レストラン・食事処　カフェ・喫茶　居酒屋・BAR　みやげ店・ショップ　宿泊施設　立ち寄り湯

ココミル cocomiru

滋賀 びわ湖 近江八幡 彦根 長浜

関西⑥

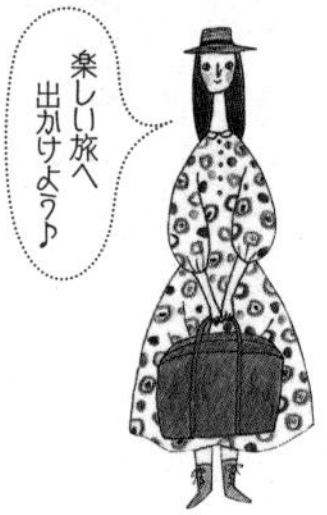

2024年7月15日初版印刷
2024年8月1日初版発行

編集人：平野陽子
発行人：盛崎宏行
発行所：JTBパブリッシング
〒135-8165
東京都江東区豊洲5-6-36 豊洲プライムスクエア11階

編集・制作：情報メディア編集部
取材・編集：エディットプラス／萩原 佐紀／平田理菜子／ヴィトゲン社
アートディレクション：APRIL FOOL Inc.
表紙デザイン：APRIL FOOL Inc.
本文デザイン：APRIL FOOL Inc.
和泉真帆／ snow（萩野谷秀幸）
イラスト…平澤まりこ／萩原タケオ
撮影・写真：ハリー中西／鈴木誠一／マツダナオキ
（公社）びわこビジターズビューロー／びわ湖バレイ
びわ湖テラス（Copyright©Alpina BI Co.,Ltd. All Right Reserved）
滋賀県立琵琶湖博物館／ PIXTA ／関係各市町村・施設
モデル：gram（上田菜摘）
地図：ゼンリン／ジェイ・マップ
組版・印刷所：佐川印刷

編集内容や、商品の乱丁・落丁の
お問合せはこちら

JTB パブリッシング お問合せ

https://jtbpublishing.co.jp/contact/service/

本書に掲載した地図は以下を使用しています。
測量法に基づく国土地理院長承認（使用）R 5JHs 167-221号
測量法に基づく国土地理院長承認（使用）R 5JHs 168-096号

●本書掲載のデータは2024年5月末日現在のものです。発行後に、料金、営業時間、定休日、メニュー等の営業内容が変更になることや、臨時休業等で利用できない場合があります。また、各種データを含めた掲載内容の正確性には万全を期しておりますが、お出かけの際には電話等で事前に確認・予約されることをお勧めいたします。なお、本書に掲載された内容による損害賠償等は、弊社では保障いたしかねますので、予めご了承くださいますようお願いいたします。●本書掲載の商品は一例です。売り切れや変更の場合もありますので、ご了承ください。●本書掲載の料金は消費税込みの料金ですが、変更されることがありますので、ご利用の際はご注意ください。入園料などで特記のないものは大人料金です。●定休日は、年末年始・お盆休み・ゴールデンウィークを省略しています。●本書掲載の利用時間は、特記以外原則として開店（館）～閉店（館）です。オーダーストップや入店（館）時間は通常閉店（館）時刻の30分～1時間前ですのでご注意ください。●本書掲載の交通表記における所要時間はあくまでも目安ですのでご注意ください。●本書掲載の宿泊料金は、原則としてシングル・ツインは1室あたりの室料です。1泊2食、1泊朝食、素泊に関しては、1室2名で宿泊した場合の1名料金です。料金は消費税、サービス料込みで掲載しています。季節や人数によって変動しますので、お気をつけください。●本誌掲載の温泉の泉質・効能等は、各施設からの回答をもとに原稿を作成しています。

本書の取材・執筆にあたり、
ご協力いただきました関係各位に厚くお礼申し上げます。

おでかけ情報満載　https://rurubu.jp/andmore/

243241　280361
ISBN978-4-533-15961-9　C2026

2408